ग़ज़लें, दोहे, गीत

वाणी प्रकाशन
नयी दिल्ली-110002

ग़ज़लें, दोहे, गीत

जमीलुद्दीन 'आली'

लिप्यन्तरण व अनुवाद

प्रदीप 'साहिल'

ISBN 81-7055-736-4

वाणी प्रकाशन
21-ए, दरियागंज, नयी दिल्ली-110002
द्वारा प्रकाशित

प्रथम संस्करण : 2000

मूल्य : 95.00

शुभम ऑफसेट, दिल्ली-110032
में मुद्रित

Ghazlein-Dohe-Geet
by Jameeludden 'Aali'

दीबाचा (प्रस्तावना)

"वो जो 'ग़ालिब' भी था और मोतक़िदे-'मीर' भी था", उसके ख़ानदान में पैदा होने का जमीलुद्दीन 'आली' के हक़ में एक बुरा नतीजा निकला। उनके दिल में ख़्वाह-म-ख़्वाह यह बात बैठ गई कि मैं कुछ भी क्यों न कर लूँ, 'ग़ालिब' नहीं बन सकता। यह क्या ज़रूरी है कि आदमी उसी वक़्त शायरी करे जब 'ग़ालिब' बन सकने का इम्कान (संभावना) हो—पहाड़ भी ठीक और ऊँट भी ठीक, दोनों अपनी-अपनी जगह ऊँचे ! लेकिन 'आली' ने ऊँट की ख़ूबियाँ तस्लीम करने में फ़राख़-दिली (उदारता) से काम नहीं लिया। है तो यह बात दीबाचा-निगारी (प्रस्तावना-लेखन) के मुरव्वजा-ए-आदाब के ख़िलाफ़ (शिष्ट-प्रचलन के विरुद्ध) मगर मैं तो इब्तिदा (आरंभ) शिकायत ही से करूँगा, क्योंकि 'आली' की शायरी और शख़्सियत में जो इम्कानात (सम्भावनाएँ) पिन्हाँ (निहित) हैं उनका अन्दाज़ा मुझे 'आली' से ज़्यादा है। उन्होंने ग़ज़ल, दोहे, गीत, नज़्मे-मुअर्रा (ईश-काव्य) सभी कुछ लिखा है, बल्कि ग़ज़ल में भी मुख़्तलिफ़ उस्लूब (विविध शैलियाँ) आज़माए हैं। 'ग़ालिब' का रंग हो या 'मोमिन' का, या 'इक़बाल' का, फ़ारसी तरकीबें इस्तेमाल करने का मुआमला हो या सलासते-बयान (अभिव्यक्ति की मधुरता) का; उन्होंने अपनी मिर्ज़ाई-शान हर जगह बरक़रार रखी है। लेकिन उन्होंने अपनी शायरी को ख़ुद ऐसी वक़अत (प्रतिष्ठा) कभी नहीं दी जिसके ज़ोर से शायर के कलाम में इर्तिकाज़ (विश्वसनीयता) पैदा होता है। मेरा मतलब यह नहीं कि "किए जाओ कोशिश मिरे दोस्तो" के उसूल पर अमल करना चाहिए। शायरी कोई तिजारत (व्यापार) नहीं, यहाँ मेहनत-मशक़्क़त या रियाज़त (अभ्यास) कार-आमद (उपयोगी) साबित होती है, लेकिन जो चीज़ शायरी को महज़ शायरी के दरजे से ऊँचा उठाती है वह तो एक ग़ैर-शख़्सी क़ुव्वत (निर्वैयक्तिक सामर्थ्य) है। मुमकिन है कि 'साइल' देहलवी की शार्गिदी* के ज़माने में 'आली' ने रियाज़

* बद-क़िस्मती से मैं उनका शागिर्द नहीं हो सका। अज़ीज़-दारी के अलावा उनका हाशिया-बरदार (कृपा-पात्र) ज़रूर रहा हूँ—जमीलुद्दीन 'आली'

भी किया हो, लेकिन वे अपनी शायरी को इतनी संजीदा चीज़ नहीं समझते जितनी वह दर-असल है। मस्लन, मैंने उन्हें अकसर कहते सुना है कि 'मियाँ हम तो मुशायरे-बाज़ आदमी हैं'। काश कि 'आली' का यह इन्किसारे-पुर-ख़ुलूस (आत्मीय विनम्र-निवेदन) न होता।

चलिए मुशायरे-बाज़ी का ही मुआमला लीजिए। मुशायरे के लिए ग़ज़लें लिखने या आदतन मुशायरे में पढ़ने के फ़ायदे भी हैं और नुक़सान भी। नुक़सान तो यह है कि शायर एक दफ़ा अंदाज़ा लगा ले कि लोग किस क़िस्म के जज़्बात और बहरें पसंद करते हैं और उसके बाद अपने तजुर्बात (जीवनानुभव) को उन्हीं पैमानों से नाप-नाप कर मुक़र्ररा (निश्चित) बोतलों में भरता रहे। इससे शायर पहले तो नये वसी (व्यापक) और गहरे तजुर्बात की सलाहिय्यत (ख़ूबी) खो देता है और फिर सामईन (श्रोता) भी। हमारे देखते-देखते यह हादिसा बहुत से शायरों को पेश आ चुका है। जिनमें से बाज़ (कई) निहायत मशहूर भी हैं। लेकिन दूसरी तरफ़ मुशायरे-बाज़ी मुफ़ीद (लाभदायक) भी हो सकती है। बशर्ते कि शायर दाद लेने की ख़्वाहिश का शिकार न हो जाए। मुशायरे में ग़ज़ल पढ़ने का मतलब यह है कि आदमी अपने सुनने वालों के दिलो-दिमाग़ को इतना हक़ीर (निकृष्ट) नहीं समझता कि उनसे तख़ातुब (संबोधन) की ज़हमत ही गवारा न करे। मुशायरे की बुनियाद ही इस यक़ीन पर है कि पढ़ने वाले और सुनने वालों के दरम्यान चन्द ज़हनी और जज़्बाती इक़दार (मूल्य) मश्तर्क (समान) हैं, और सुनने वालों में नये तजुर्बात को क़ुबूल करने की आमादगी (तत्परता) ज़रूर मौजूद है। दूसरी तरफ़ मुशायरे में पढ़ने वाले शायर से एक तवक़्क़ो (अपेक्षा) यह की जाती है कि वह अपने जज़्बात पर शरमाता नहीं, बल्कि दूसरों के सामने खुल कर उनका इज़्हार करने की हिम्मत रखता है। 'आली' मुशायरे-बाज़ शायर सही, मगर उनमें अच्छे मुशायरे-बाज़ों की ये दोनों सेहत-मंद ख़ुसूसियतें (विशेषताएँ) मौजूद हैं। यानी खुले दिल से अपनी बात दूसरों के सामने कहने की हिम्मत भी और दूसरों की ज़हनी व जज़्बाती सलाहिय्यत (योग्यता) पर एतमाद (विश्वास) भी। और साथ ही सामईन से मग़्लूब (पराजित) न होने की ताक़त भी। मुशायरे-बाज़ शायर हों या ग़ैर-मुशायरे-बाज़; आजकल के ज़माने में ये तीन बातें किसी एक शायर में मुश्किल से जमा होती हैं। 'आली' मुशायरे-बाज़ों के अंजाम से कुछ ऐसे घबराए हैं कि उन्होंने यह भी नहीं देखा कि मुशायरे ने उनकी शायरी को क्या फ़ायदा पहुँचाया है। अकसर मुशायरे-बाज़ अपना एक ख़ास तरन्नुम (गायन-शैली) वज़अ (बना) लेते हैं। और हर ग़ज़ल को उसी लय में ढालते हैं, चाहे किसी ख़ास ग़ज़ल और उनके तरन्नुम का आपस में कोई इलाक़ा हो या न हो। लेकिन 'आली'

के यहाँ तरन्नुम और शेर यक-जान (एक जान) होते हैं। उनकी ख़ुश-गुलूई (अच्छी गायकी) उनकी ग़ज़ल में गूँजती है, अपनी आवाज़ और अपनी शख़्सियत के आहंग (राग) को शेर में समा देना कोई मामूली बात नहीं। 'आली' के यहाँ इस अहलियत (योग्यता) की नश्वो-नुमा (विकास-शीलता) अगर मुशायरों में नहीं हुई तो और कहाँ हुई। 'आली' के शेर ब-यक-वक़्त (एक ही समय में) दिल और दिमाग़ दोनों से तख़ातुब (संबोधन) करते हैं। अगर जज़्बे का ख़ुलूस और ताज़गी दिल पर असर-अंदाज़ (प्रभावकारी) होती है तो यह रवैये का तीखा-पन और अंदाज़े-बयान की शोख़ी ज़हन को भी छेड़ती है। जज़्बे और ख़याल (भाव तथा विचार) की यह सादा आमेज़िश (मिश्रण) दिमाग़ और दिल की यह संगत अगर मुशायरे में पढ़ने की मजबूरी से हासिल नहीं हुई तो कहाँ से हुई है। जैसाकि आपको 'आली' का कलाम पढ़ कर अंदाज़ा होगा, उनके यहाँ जो एक हल्की ठिठक और चुभन मिलती है वह इंसानी ज़िंदगी और इंसानी जज़्बात के अन्दरूनी तज़ाद (आंतरिक विरोधाभास) और कशाकश (द्वंद्व) के अहसास ने पैदा की है। यह शऊर (संस्कार) 'आली' के यहाँ अभी तक इतना गहरा तो नहीं कि बड़ी शायरी पैदा कर सकता, लेकिन इस हद तक ज़रूर मौजूद है कि उनकी शायरी और शख़्सियत दोनों के लिए ख़तरनाक बन सकता था। इस अहसास के तुफ़ैल (कारण) अक्सर यह भी होता है कि आदमी की शायरी और शख़्सियत दोनों घुटन, झल्लाहट और बेचारगी की दलदल में फँस कर रह जाएँ। 'आली' अपनी मुशायरे-बाज़ी और मजलिस-आराई (महफ़िल जमाना) का शुमार अपनी हिमाक़तों में करते हैं। लेकिन इन्हीं चीज़ों की मदद से उन्होंने अपने-आप को उस शिकस्तगी (पराजय-बोध) से महफ़ूज़ रखा है जिसकी तरफ़ मैंने इशारा किया, और यहीं से उन्हें वह तवानाई (सामर्थ्य) और इस्तक़ामत (दृढ़ता) मिली है जो उनकी शायरी के नफ़्से-मज़्मून (विषय-वस्तु) में ही नहीं बल्कि लहजे में भी गूँजती है। मुशायरे-बाज़ी की आदत ने 'आली' को वह जज़्बाती तवाज़ुन और तम्कनत (संतुलन तथा स्थिरता) बख़्शी है जिसके लिए उन्हें मुशायरे का ममनूने-अहसान (आभारी) होना चाहिए। मुशायरे में अभी तक कितनी ज़िंदगी है, और यह शायरों को क्या कुछ दे सकता है; इसके सुबूत (प्रमाण) में 'आली' का कलाम पेश किया जा सकता है।

अब 'आली' की शायरी का एक और पहलू देखिए, यानी उनकी शायरी और शख़्सियत का एक दूसरे से रिश्ता। इसमें शक नहीं कि अज़ीम-तरीन शायरी (महानतम् काव्य) हमेशा शायर की शख़्सियत से इतनी आगे होती है कि हम उसका शुमार मज़ाहिरे-फ़ितरत (प्राकृतिक-उत्पत्ति) में कर सकते हैं। लेकिन उससे नीचे शायरी के जितने भी दर्जे हैं उनमें शायरी और शख़्सियत का तअल्लुक़ कई

शक्लें इख़्तियार कर सकता है। कभी तो यह होता है कि शायर की शख़्सियत में वह इम्कान (सम्भावना) नज़र नहीं आते जिनका इज़हार उसकी शायरी करती है। ऐसी सूरत में शायर की ज़ात (अस्तित्व) का वह हिस्सा शेर में बोलता है जो किसी और शक्ल में बररू-ए-कार (कार्यान्वित) नहीं आया। बाज़ (कई) शायर ऐसे होते हैं जिनकी शायरी आपनी जगह वक़ीअ (उच्च-स्तरीय) होती है। मगर उनकी शख़्सियत में कहीं ज़्यादा तनव्वो (विविधता) और तवानाई (सामर्थ्य) नज़र आती है। यानी उनकी शख़्सियत उनकी शायरी से आगे निकल जाती है, या यूँ कहिए कि शायरी शख़्सियत के बराबर तक नहीं पहुँच पाती। बाज़ दफ़ा (कई बार) शायरी और शख़्सियत में बिल्कुल ही तज़ाद (विरोधाभास) होता है। ऐसे आदमी की शख़्सियत दो अलग ख़ानों में बंटी होती है, एक हिस्सा ज़िन्दगी में अमल करता है दूसरा शायरी में। जिनकी शायरी उनकी शख़्सियत को मस्ख़ (विकृत) कर देती है और इसके बर-ख़िलाफ़ (विपरीत) वे लोग हैं जिनकी शख़्सियत उनकी शायरी को तोड़-मरोड़ कर रख देती है। 'आली' की शायरी उनकी शख़्सियत का मुकम्मल इज़हार (पूर्ण अभिव्यक्ति) है-न ये आगे, न वो पीछे। न तो शख़्सियत ने शायरी को झिंझोड़ा है, न शायरी ने शख़्सियत का गला घोंटा है। 'आली' के यहाँ इन दोनों में मुकम्मल यगानगत (पूर्ण सामंजस्य) है। 'आली' ने शायरी को अपनी शख़्सियत के ना-आसूदा (असमृद्ध) तक़ाज़ों के इज़हार या तस्कीन (आनन्दानुभव) का ज़रिया नहीं बनाया। उनकी शख़्सियत के तमाम पहलू उनकी शायरी में उजागर हैं, और इसी तरह उनकी शायरी में भी कोई ऐसा उन्सुर (तत्व) नहीं मिलेगा, जो उनकी शख़्सियत में न मिलता हो। एक़ लिहाज़ से यह ख़ामी (त्रुटि) भी है। अपनी शख़्सियत के अन्दर महदूद (सीमित) होकर रह जाना शायर के लिए कोई अच्छी बात नहीं। इस तरह आदमी अच्छे शेर तो कह सकता है लेकिन पूरी शायराना अज़्मत हासिल नहीं कर सकता। चुनाँचे मेरा तो यही जी चाहता है कि 'आली' अब अपनी शायरी में वुसअत (व्यापकता) के साथ इर्तिकाज़ (विश्वसनीयता) भी पैदा करें, क्योंकि ऊपर उठने के लिए पहले अपने-आप को समेटना लाज़िमी होता है। बहरहाल, 'आली' की मौजूदा शख़्सियत और शायरी में इतने मुख़्तलिफ़ रंग मौजूद हैं कि उनके कलाम से उकताहट नहीं होने पाती। यह रंगा-रंगी ब-ज़ाते-ख़ुद (अपने-आप में) एक लुत्फ़ की चीज़ है। फिर 'आली' के साथ इस बात का शाइबा (लेश-मात्र) तक नहीं मिलता कि वे किसी जज़्बे से कतरा रहे हों या उसके इज़हार में हिजाब (संकोच) से काम ले रहे हों। खुले दिल से बात करने और झेंपे और घबराए बग़ैर जज़्बात का बेलाग तरीक़े से इज़हार करने की बदौलत उनके कलाम में एक ऐसी सादगी और मासूमियत आ गई है

जिसकी आरज़ू (कामना) हर शायर को होनी चाहिए। और इस मासूमियत का राज़ यही है कि वे अपनी शख़्सियत के किसी गोशे (कोने) को न तो ज़िंदगी में ग़ैर-आसूदा रखते हैं, न शायरी में। और अपनी शख़्सियत को उसकी ख़ूबियों और ख़ामियों समेत क़ुबूल कर लेते हैं। अलम हो या निशात (ग़म हो या ख़ुशी), कामयाबी हो या महरूमी, किसी चीज़ के बयान में उनकी आवाज़ डर से कंपकंपाती नहीं। वे हमेशा जम कर बोलते हैं। जज़्बात का ख़ौफ़ 'आली' में नाम को नहीं। मेरे ख़याल में यह उनकी सबसे बड़ी ख़ूबी है और मुझे यक़ीन है कि इस क़ुव्वत (सामर्थ्य) के बल पर वे अगर चाहें तो इससे भी बेहतर शायरी तख़्लीक़ (रच) कर सकते हैं।

जज़्बात के बेझिजक, बेलाग, बराहे-रास्त (सीधे तौर पर) और मासूमाना इज़्हार का यह मतलब नहीं कि 'आली' ने दिमाग़ को छुट्टी दे दी है। चूँकि 'आली' हर क़िस्म के जज़्बे को बेखटके क़ुबूल कर लेते हैं, इसलिए मुतज़ाद तजुर्बों (परस्पर विरोधी अनुभवों) के आपस में टकराने का मौक़ा तो यूँ ही फ़राहम (उपलब्ध) हो जाता है। फिर जज़्बे के अन्दर रहते हुए भी उसे बाहर से देखने का, जाँचने का, शौक़ 'आली' ने 'ग़ालिब' से विरसे (उत्तराधिकार) में पाया है। वारफ़्तगी के आलम (आत्म-विस्मृति की दशा) में भी वे अपना मुशाहदा (काव्यानुभव) किए बग़ैर बाज़ नहीं रह सकते। जज़्बात के मुशाहदे और मुआज़ने (तुलना) से उनके यहाँ एक हद तक मज़्मून-आफ़रीनी (विषयों की मौलिकता) का रंग भी आ गया है, जिसमें ग़ालिबन (संभवतः) फ़ारसी शायरी के मुतालए (अध्ययन) को भी दख़्ल है। ज़हन जज़्बे में खो भी जाए और उससे अलग रहकर काम भी कर रहा हो, इस बात से उनके इश्क़ तक में एक रख-रखाव और सलीक़ा आ गया है। उनके किसी शेर से यह नहीं टपकता कि इश्क़िया ज़ज़्बात (प्रेम-भाव) ने उन्हें पीस कर रख दिया हो। इश्क़िया ज़िंदगी में सबसे बड़ी क़ुव्वत (ताक़त) यही है कि आदमी ढहे जाने के बाद फिर उठ खड़ा हो और इस तरह कि ज़मीन पर क़दम पहले से भी ज़्यादा मज़बूती से जमे हों। लेकिन ऐसा तो उर्दू शायरी में बस दो बार ही हुआ है—एक तो 'मीर' के यहाँ, दूसरे 'फ़िराक़' के यहाँ। लेकिन अगर यह नहीं तो आदमी में इतनी ताक़त तो हो कि ढहे जाने के बाद लेटा-का-लेटा ही न रह जाए। 'आली' को संभलना आता है। इसीलिए गुदाज़ (मांसलता) के बावजूद उनके इश्क़ में सड़ाँध पैदा नहीं होती। किसी क़िस्म की पैंतरे-बाज़ी के बग़ैर 'आली' अपने-आप को ग़म गिरावट से बचा ले जाते हैं। चुनाँचे उनके

अंदाज़े-बयान में जो नफ़ासत (कोमलता), शगुफ़्तगी (लालित्य), और बाँकपन है, उसमें फ़ारसी तरकीबों के इलावा बहुत बड़ा दख़्ल उनके मिज़ाज की सेहत-मंदी का भी है। महबूब के मुक़ाबिल (समक्ष) अकड़ने-बिगड़ने का अंदाज़ उनके यहाँ नहीं बल्कि अपनी हस्ती पर नाज़ या अपनी शख़्सियत का सुरूर (नशा) है जो उनके इश्क़ में पिचपिचा-पन नहीं आने देता और दूसरी तरफ़ उनकी शायरी को एक ऐसी शोख़ी, चुलबुला-पन और तर्बीह कैफ़ियत (आह्लादक सुरूर) बख़्शता है जो फ़ी-ज़माना (वर्तमान समय में) कमयाब (दुर्लभ) है। 'आली' की शायरी बेहासिली (व्यर्थ) का रोना-झींकना नहीं। उनके ग़म में भी जवानी का निखार है। 'आली' में निशात (सुख) ही नहीं बल्कि अलम (दुख) भी एक लहक रखता है। जज़्ब और क़रार का ऐसा इम्तिज़ाज (मिश्रण) 'आली' की उम्र के शायरों में ज़रा कम ही मिलेगा।

इस मज्मूए (संग्रह) में ग़ज़लों को जिस तरह तरतीब (क्रम) दिया गया है उससे यह अंदाज़ा होना मुश्किल है कि 'आली' की नश्वो-नुमा (काव्यात्मक प्रगति) किस अंदाज़ से हुई है लेकिन मैं देखता हूँ कि 'आली' के यहाँ अंदाज़े-बयाँ का तनव्वो (नयापन) बढ़ता जा रहा है और वे कई शायरों के रंग में अपना इम्तिहान ले चुके हैं। इधर 'आली' ने कई ग़ज़लें 'ग़ालिब' की ज़मीनों पर कही हैं, इसका मतलब यह नहीं कि वे नई ज़मीनें ईजाद नहीं कर सकते, बल्कि इस तरह वे अपने-आप को माँझने की कोशिश कर रहे हैं। फिर दो-चार ग़ज़लों में उन्होंने क़ाफ़िया और आहंग के छोटे-मोटे तजुर्बे (प्रयोग) भी किए हैं। मस्लन, वह ग़ज़ल जिसकी रदीफ़ है 'नींद आने लगी'। यूँ तो 'आली' को अदबी तजुर्बों का शौक़ हमेशा से रहा है। ऐसे तजुर्बे वे पहले तफ़न्नुने-तबूअ (मनोविनोद) के तौर पर किया करते थे। अब उन्होंने ज़रा जम कर असालीबे-बयान की (अभिव्यक्ति की शैलियों की) तरफ़ तवज्जोह (ग़ौर) शुरू की है और अपने लिए नई राहें तलाश रहे हैं। न सिर्फ़ ग़ज़ल में बल्कि और असनाफ़े-सुख़न (साहित्य-विधाओं) में भी। मुझे उम्मीद है कि 'आली' का यह मज्मूआ (संकलन) और ज़्यादा मुतनव्वे (विविधता-पूर्ण), पहलू-दार और वक़ीअ (श्रेष्ठ) होगा।

रहे 'आली' के दोहे तो मैं यह फ़ैसला करने की अहलियत (योग्यता) नहीं रखता कि हिंदी के मशहूर दोहों के मुक़ाबले में इनकी क्या क़द्रो-क़ीमत (महत्व) है। अलबत्ता, अपनी जगह 'आली' के दोहे अपना एक अलग लुत्फ़ (आनन्द) रखते हैं। उन्होंने एक अक़्लमंदी यह की है कि 'तुलसीदास' या 'कबीर' की ज़ुबान में नहीं लिखा। इस पुरानी ज़ुबान (भाषा) के फेर में पढ़कर बाज़ (कई) दफ़ा आदमी 'तुलसीदास' या 'कबीर' के ख़यालात और जज़्बात अपने ऊपर इस तरह

हावी कर लेता है कि शायराना-ख़ुलूस (काव्यात्मक-निश्च्छलता) में कमी आ जाती है और दोहा-नवीसी (दोहा-लेखन) महज़ एक अदबी मश्क़ (साहित्यिक-अभ्यास) बनकर रह जाती है। 'आली' ने अपने दोहों के लिए मुरव्वजा उर्दू (परम्परागत उर्दू) में हिंदी के दस-पाँच मक़बूल अल्फ़ाज़ (सर्वप्रिय शब्द) मिलाकर एक ख़ास ज़ुबान वज़्अ (बनाई) की है, जिसकी वजह से उनके दोहों की ताज़गी दो बाला (दो गुणा) हो गई है। फिर 'आली' ने हिंदी शायरों के ख़यालात और अहसासात (संवेदनाओं) की रिवायत (परम्परा) का ततब्बो (अनुकरण) करने की बजाय अपना ज़ाती-तजुर्बा पेश किया है। यानी 'आली' के दोहों में असालीब (कहने के अंदाज़) भी ख़ुद उनके हैं और नफ़्से-मज़्मून (विषय-वस्तु) भी। लिहाज़ा 'आली' के दोहों का 'तुलसीदास' और 'कबीर' के दोहों से मुक़ाबला-ओ-मुवाज़ना (तुलना) करना काफ़ी नहीं। 'आली' ने दोहे को एक नई शक्ल में ज़िंदा किया है। इसलिए हमें देखना यह चाहिए कि 'आली' के दोहों में ज़िंदगी है या नहीं।

'आली' के दोहों में मज़ामीन (विषयों) का तनव्वो (नयापन) ग़ज़लों से भी ज़्यादा है। चूँकि इस सिन्फ़ (विधा) को उन्होंने गोया अपनी इख़्तिराअ (आविष्कार) के तौर पर बरता है, लिहाज़ा यहाँ उन्हें आज़ादी भी ज़्यादा हासिल रही है। यूँ तो उन्होंने दोहों में हमारे ज़माने की ज़िंदगी के बहुत से पहलुओं पर तब्सिरा (टिप्पणी) किया है लेकिन वाज़ (धर्मोपदेश, नसीहत) या अख़्लाक़ी-दर्स (शिष्टता का उपदेश) का रंग कहीं नहीं पैदा होने दिया। उनकी हैसियत शाहिद (साक्षी) की रही है जो ज़िंदगी की रंगा-रंगी से लुत्फ़ लेता है और आगे चल पड़ता है। हुस्नो-इश्क़ के मुआमले में भी यहाँ उनका यही रवैया रहा है। लेकिन जहाँ तक हुस्न के मुशाहदे का (निरीक्षण का) तअल्लुक़ है उनकी एक नज़र भी मश्हूद (ध्येय) का सारा रंग-रूप निचोड़ लाई है। वे हरे-भरे और जीते-जागते अहसासात जो 'आली' के दोहों में मिलते हैं, वे उनकी ग़ज़लों में भी नहीं दिखाई देते। अपनी जमालियाती हिस्स (सौंदर्य-अनुभूति) के आज़ादाना इज़हार के लिए 'आली' ने चुना ही इस सिन्फ़ (विधा) को है। 'आली' की जज़्बाती मासूमियत जो ग़ज़लों में भी नुमायाँ (व्यक्त) हो रही है यहाँ आकर दो-चंद (दो गुणा) हो गई है। इस एतबार से ये दोहे हमारे ज़माने की उर्दू शायरी में एक ख़ास मुक़ाम रखते हैं। यूँ कहने को दोहे इस ज़माने में और लोगों ने भी कहे हैं लेकिन 'आली' का-सा रचाव और बे-साख़्तगी (बनावट-हीनता) किसी को नसीब नहीं हुई। अब 'आली' इस फ़िक्र में हैं कि इस सिन्फ़ से कोई और भारी काम लिया जाए। मस्लन, सौ-डेढ़ सो, मुसल्सल (निरन्तर) दोहों का एक ख़ाका बनाया है जिसमें कराची की ज़िंदगी पेश की जाएगी।

ग़ज़लें हों या दोहे, 'आली' दोनों तरफ़ आगे बढ़ने और फैलने की कोशिश कर रहे हैं। उनके ज़हन की लचक से मुझे क़ौमी उम्मीद है कि आईन्दा वे उर्दू शायरी में और भी गिराँ-क़द्र (मूल्यवान, महत्वपूर्ण) इज़ाफ़े करेंगे। ज़ाती तौर पर मैं सिर्फ़ इतना अर्ज़ करूँगा कि 'आली' नई नस्ल के उन ढाई शायरों में से एक हैं जिनकी शायरी से मुझे आज भी दिलचस्पी है और जिनकी नश्वो-नुमा (विकास-शीलता) का मैं बग़ौर (ग़ौर से) मुतालआ (अध्ययन) करता रहता हूँ...

–मुहम्मद हसन असकरी

कुछ ज़रूरी संकेत

उर्दू-शायरी का अपना एक ख़ास taste है, एक ख़ास मज़ा है, जो अन्यत्र दुर्लभ है और शायद यही वजह है कि उर्दू-शायरी हिन्दी-जगत में भी क़द्र तथा जिज्ञासा की दृष्टि से देखी जाती है। लेकिन एक हक़ीक़त यह भी है कि हिन्दी का सामान्य पाठक उर्दू-शायरी की चन्द बारीकियों से अनभिज्ञता के कारण उसका पूर्ण आस्वादन चाहकर भी नहीं कर पाता। ऐसे कुछ शाब्दिक संकेत यहाँ दिए जा रहे हैं जो कि न सिर्फ़ इस पुस्तक के पठन-पाठन में सहायक सिद्ध होंगे, अपितु उर्दू-शायरी की प्रत्येक पुस्तक के अध्ययन में पाठकों का मार्ग-दर्शन करेंगे–

(क) '◌े' की मात्रा अथवा 'ए' का प्रयोग प्रायः का, के, की आदि के लिए किया जाता है। जैसे–ग़मे-दोस्त (मित्र का दुख) अथवा तक़ाज़ा-ए-वक़्त (समय की माँग)। लेकिन कहीं-कहीं इसका प्रयोग विशेषण का बोध कराता है, जैसे–गुले-सुर्ख़ (लाल फूल), अथवा हवा-ए-सर्द (ठण्डी हवा) इत्यादि।

(ख) 'और' अथवा 'तथा' के भावार्थ के लिए उर्दू-शायरी में '–ओ–' अथवा सिर्फ़ ' ो ' की मात्रा से संयुक्त शब्द बनाए जाते हैं, जैसे–ज़हनो-दिल (मस्तिष्क तथा हृदय) अथवा तारीकी-ओ-नूर (अँधकार तथा प्रकाश) इत्यादि।

(ग) शब्दों के बिल्कुल सही उच्चारण के लिए कुछ अक्षरों के नीचे बिन्दी डाल दी जाती है और इस प्रकार उस अक्षर का स्वर कुछ हल्का हो जाता है। साथ ही कई बार किसी अक्षर के नीचे बिन्दी के अनुचित प्रयोग से शब्द के अर्थ में बहुत ज़्यादा परिवर्तन हो जाता है। मस्लन–जलील (प्रतिष्ठित, सम्मानित, महान, मान्य, पूज्य) तथा ज़लील (भ्रष्ट, नीच, अधम, अपमानित, तिरस्कृत इत्यादि)

(घ) इसमें कोई दो राय नहीं कि उर्दू-शायरी के छन्द तथा लय अत्यधिक संवेदनशील तथा प्रवाहमय हैं और इसी प्रवाहमयता तथा संवेदनशीलता को बरक़रार रखने के उद्देश्य से कई शब्दों को ज्यों का त्यों न लिखकर कहीं-कहीं किंचित फेर-बदल

के साथ प्रस्तुत किया जाता है, लेकिन इस शाब्दिक परिवर्तन से उन शब्दों के अर्थ में कोई परिवर्तन नहीं होता, जैसे–

यह के स्थान पर ये
वह के स्थान पर वो
एक के स्थान पर इक
तेरे के स्थान पर तिरे
मेरे के स्थान पर मिरे
यहाँ के स्थान पर याँ
वहाँ के स्थान पर वाँ
पर के स्थान पर पे
जुनून के स्थान पर जुनूँ
ख़ून के स्थान पर ख़ूँ
इन्सान के स्थान पर इन्साँ
सुबह के स्थान पर सुब्ह
आसमान के स्थान पर आसमाँ
दामन के स्थान पर दामाँ
परीशान के स्थान पर परीशाँ
ख़ामोशी के स्थान पर ख़ामुशी
धुँध के स्थान पर धुँद

इत्यादि।

प्रस्तुत परिवर्तित तथा अपरिवर्तित, दोनों प्रकार के शब्द उर्दू शायरी में प्रयुक्त होते हैं।

इस प्रकार इन सामान्य संकेतों को जानने के बाद बहुत आसानी से उर्दू-शायरी के मर्म तक पहुँचा जा सकता है।

–प्रदीप 'साहिल'

ग़ज़लें

'आली' ने तीस-चालीस साल के अर्से में जो कुछ कहा है, वह कई लिहाज़ से वक़ीअ (महत्वपूर्ण) है। मैं उनकी ग़ज़लों को ज़्यादा अहमियत देता हूँ—ग़ज़ल में इन्फ़िरादियत (अद्वितीयता) पैदा करना बहुत मुश्किल काम है लेकिन 'आली' ने इस मुश्किल को भी आसान बना लिया है—तक़्सीमे-हिंद (भारत-विभाजन) के बाद यह अंदाज़ो-आवाज़ किसी दूसरे ग़ज़ल-गो के यहाँ नहीं मिलती। 'आली' का उस्लूब उनका अपना है।

—प्रोफ़ेसर मसूऊद हुसैन ख़ाँ

☆☆

यूँ तो न रह सकूँगा मैं ऐ निगहे-ग़लत-ख़िराम[1]
या कोई मंज़िले-सुकूँ[2] या कोई राहे-बेमुक़ाम[3]

ख़्वाहिशे-ज़िन्दगी[4] के साथ काहिशे-ज़िन्दगी[5] भी थी
अब न वो मेरी आरज़ू[6], अब न वो मेरे अहतिराम[7]

क्या है वो इक ग़मे-दरूँ[8], जिसके जिलौ[9] में सौ जुनूँ
क्या है वो आग और क्यूँ, जिसका रखा है इश्क़ नाम

कुछ तो ये नश्तरे-वुजूद[10] जिसकी ख़लिश से जाँ फ़िगार[11]
कुछ तेरी रह[12] की मुश्किलें जिनसे है रूह बेक़रार

अपना तो ख़ैर ज़िक्र क्या, 'जोश'-ओ-'जिगर'* सुनाएँगे
आप तो शायद आएँगे हमने रखी है बज़्मे-आम[13]

हाए ये सैले-रंगो-नूर[14], हाए ये लज़्ज़ते-हुज़ूर[15]
कुछ तेरे नाम का सुरूर, कुछ मेरी गर्मी-ए-कलाम[16]

---

* जोशो-जिगर अर्थात् 'जोश' मलीहाबादी तथा 'जिगर' मुरादाबादी नामक उर्दू-साहित्य के दो महान रचनाकार

1. हमेशा विपरीत दिशा में चलने वाली दृष्टि, 2. आनन्दानुभूति का लक्ष्य, 3. कहीं भी न पहुँचने वाला मार्ग, 4. जीवन की कामना, 5. जीवन की क्षीणता, 6. कामना, इच्छा 7. प्रयोजन, 8. आन्तरिक पीड़ा, 9. वश, क़ाबू, 10. अस्तित्व रूपी कटार, 11. घायल, 12. राह, मार्ग 13. सर्वसामान्य हेतु आयोजित की जाने वाली गोष्ठी, 14. रंग तथा प्रकाश का सैलाब, 15. साक्षात आनन्द 16. काव्य-पाठ का प्रभाव,

अब जो ये एतिराज़[17] है इतने बरस में क्या किया
तेरे बग़ैर सुब्हो-शाम, अपने कहाँ थे सुब्हो-शाम

तुम जो फ़क़ीर-दोस्त[18] हो, तुम जो हो साहिबे-निगाह[19]
हम भी हैं आले-मीर 'दर्द',[20] हम भी हैं साहिबे-मुक़ाम[21]

ज़हने-तमाम[22] बेबसी, रूहे-तमाम[23] तिश्नगी[24]
सो ये है अपनी ज़िन्दगी, जिसके थे इतने इन्तिज़ाम

हैं जानते तमाम लोग गो[25] कोई मानता नहीं
सुन तो रखा है तुमने भी 'आली' देहलवी का नाम

---

17. आपत्ति, 18. फ़क़ीरों के मित्र, 19. गुण-दोष की परख रखने वाले, 20. मीर 'दर्द' नामक सूफ़ी शायर के वंशज, 21. कहीं-न-कहीं पहुँचे हुए, 22. सम्पूर्ण मस्तिष्क, 23. सम्पूर्ण अन्तरात्मा, 24. तृष्णा, प्यास 25. यद्यपि, हालाँकि

☆☆

भटके हुये 'आली' से पूछो घर वापिस कब आयेगा
कब ये दरो-दीवार[1] सजेंगे, कब ये चमन लहरायेगा

सूख चले वो गुँचे[2], जिनसे क्या-क्या फूल उभरने थे
अब भी न उनकी प्यास बुझी तो घर जंगल हो जायेगा

कुछ किरणें ऐसी हैं जो अब तक राह उसी की तकती हैं
ये अँधियारा और रहा तो फिर न उजाला आयेगा

समझा है अपने-आप से छुट कर सारा ज़माना देख लिया
देखना अपने-आप में आकर ये क्या-क्या शरमायेगा

ऐसी ज्ञान और ध्यान की बातें हम जाने-पहचानों से
तू आख़िर भूला ही क्या था, तुझको क्या याद आयेगा

कुछ छोटे-छोटे दुख अपने, कुछ दुख अपने अज़ीज़ों के
इनसे ही जीवन बनता है, सो जीवन बन जायेगा

चार बरस से बेगाने हैं लेकिन हम क्या बेगाने हैं
रूठने वाला जीवन-साथी दो दिन में मन जायेगा

ऐ दिल के तूफ़ानो उट्ठो, ऐ आँखो अब बरसो भी
थोड़ी देर में चाँद का मुखड़ा बदली में छुप जायेगा

---

1. दरवाज़ा और दीवार, 2. कलियाँ,

रात की कोख से फूटा है इक सोता नर्म ख़यालों का
दिन होते-होते ये किस-किस धारे से मिल जायेगा

'मीराजी'[3] के मानने वाले कम हैं लेकिन हम भी हैं
'फ़ैज़'[4] की बात बड़ी है फिर भी अब वैसा कौन आएगा

---

3. आधुनिक उर्दू शायरी के प्रवर्तक शायरों में से एक शायर, 4. उर्दू के एक विख्यात शायर

☆☆

ज़हन[1] पर छा गई मौत की बेहिसी[2], नींद आने लगी
ढूँढ़ता हूँ अँधेरों में आसूदगी[3], नींद आने लगी

भागते-भागते मौत के साये से ख़ुद ही धुँदला गये
सोचते-सोचते ज़िन्दगी-ज़िन्दगी, नींद आने लगी

हैं इसी अहद[4] में सौ तसव्वुर हसीं[5] कोई अपना नहीं
थक गई है मिरे शौक़ की सादगी, नींद आने लगी

ख़त्म है रोज़ो-शब[6] की परेशानियाँ और हैरानियाँ
थी वो क्या शय जो अब तक नहीं मिल सकी, नींद आने लगी

हैरत-अँगेज़[7] रंगों में लिपटी हुई मुज़्तरिब[8] नग़मगी[9]
आज तक अपनी लय में नहीं ढल सकी, नींद आने लगी

हौसलों का ही अंजाम हैं तजुर्बे-तजुर्बे बिस[10] भरे
आतिशी[11], आतिशी, आतिशी, आतिशी, नींद आने लगी

क्या मिला नग़्मा-ओ-रंग के शौक़ से, शेर के ज़ौक़[12] से
इक जलन, इक दुखन, एक वामान्दगी[13], नींद आने लगी

---

1. मस्तिष्क, 2. संवेदन-हीनता, 3. संतोष, तृप्ति, 4. समय, दौर, 5. सुन्दर कल्पनाएँ, 6. दिन-रात, 7. आश्चर्यजनक, 8. व्याकुल, 9. गेयता, 10. विष, 11. अग्नि-मय, 12. काव्य-अभिरुचि, 13. बेचारगी

☆☆

नहीं कि हमने कभी हाले-सोज़े-जाँ[1] न कहा
मगर ब-हीला-ए-आराइशे-बयाँ[2] न कहा

कोई ख़ता न हुई जिसकी ये मिले पादाश[3]
मगर यही कि ज़मीनों को आसमाँ न कहा

जिस अंजुमन[4] से हुआ क़िस्सा-ए-जुनूँ[5] आग़ाज़[6]
वहीं कभी न कहा, गो[7] कहाँ-कहाँ न कहा

ये अहतिरामे-तअल्लुक़[8], ये अहतियात[9] तो देख
कि ज़िन्दगी को कभी हम ने राएगाँ[10] न कहा

तिरे करम[11] को करम ही कहा, सितम को सितम
ज़हे-ख़ुलूसे-तमन्ना[12] कि इम्तिहाँ न कहा

हज़ार ख़ुश्क रहा अपनी ज़िन्दगी का चमन
तिरी बहार को लेकिन कभी ख़िज़ाँ[13] न कहा

हमें भी नुदरते-उस्लूब[14] थी अज़ीज़ मगर
उन्हें जहाँ[15] ही पुकारा, ग़मे-जहाँ[16] न कहा

---

1. प्राणों के जलने का हाल, 2. अभिव्यक्ति के सौन्दर्य के बहाने से, 3. प्रतिकार, 4. संगोष्ठी, सभा, 5. उन्माद की कहानी, 6. प्रारम्भ, 7. हालाँकि, यद्यपि, 8. सम्बन्ध का सम्मान, 9 . सतर्कता, 10. व्यर्थ, निरर्थक, 11. कृपा, 12. प्रेम की निश्छलता, भई वाह ! 13. पतझड़, 14. शैली की नवीनता, 15. संसार, 16. संसार की पीड़ा

☆☆

ख़ुदा कहूँगा तुम्हें, नाख़ुदा[1] कहूँगा तुम्हें
पुकारना ही पड़ेगा, तो क्या कहूँगा तुम्हें

मिरी पसन्द, मिरे नाम पर न हर्फ़[2] आये
बहुत हसीन, बहुत बावफ़ा[3] कहूँगा तुम्हें

हज़ार दोस्त हैं, वजहे-मलाल[4] पूछेंगे
सबब[5] तो सिर्फ़ तुम्हीं हो, मैं क्या कहूँगा तुम्हें

अभी से ज़हन में रखना नज़ाकतें[6] मेरी
कि हर निगाहे-करम[7] पर ख़फ़ा कहूँगा तुम्हें

अभी से अपनी भी मजबूरियों को सोच रखो
कि तुम मिलो न मिलो, मुद्दआ[8] कहूँगा तुम्हें

उलझ रहा है तो उलझे गिरोहे-तश्बीहात[9]
बस और कुछ न कहूँगा, अदा कहूँगा तुम्हें

क़सम शराफ़ते-फ़न[10] की कि अब ग़ज़ल में कभी
तुम्हारा नाम न लूँगा, सबा[11] कहूँगा तुम्हें

---

1. नाविक, 2. बात, 3. वफ़ादार, 4. पश्चाताप की वजह, 5. कारण 6. कोमलतायें, 7. कृपा-दृष्टि, 8. आशय, 9. उपमाओं का समूह, 10. कला की शराफ़त, 11. ठण्डी-मधुर हवा

☆☆

किसी को नाज़े-ख़िरद[1] है, किसी को फ़ख़्रे-जुनूँ[2]
मैं अपने दिल का फ़साना कहूँ तो किससे कहूँ

न इज़्तिराब[3] में लज़्ज़त[4], न आरज़ू में सुकूँ[5]
कोई कहे कि मैं अब क्या फ़रेब खा के जियूँ

रहेगी फिर न ये कैफ़ियते-तलब[6], ऐ दिल !
छुपे हुए हैं तो है इश्तियाक़े-दीद[7] फुज़ूँ[8]

है आज दिल पे गुमाँ हुस्न-नाशनासी[9] का
जला चुके जब इसे जलवहा-ए-गुना गूँ[10]

हो अब भी फ़िक्र में[11] मुश्किल तो याद आते हैं
वो हर अदा में तग़ज़्ज़ुल[12] के सैकड़ों मज़्मूँ[13]

तुम ऐसे कौन ख़ुदा हो कि उम्र भर तुमसे
उम्मीद भी न रखूँ, ना-उम्मीद भी न रहूँ

---

1. बुद्धि का गर्व, 2. उन्माद का गर्व, 3. छटपटाहट, व्याकुलता, 4. आनन्द, 5. मानसिक विश्रांति, 6. चाह की आनन्दानुभूति, 7. देखने की उत्कट कामना, 8. अत्यधिक, 9. सौन्दर्य से अनभिज्ञता, 10. विविध प्रकार के रंग-बिरंगे जलवे, 11. चिन्तन में, सोचने में 12. ग़ज़लीयत, काव्य-रचना, 13. विषय

☆☆

वो आये हज़रते-'आली'[1] ब-जेबो-दामने-चाक[2]
ब-ज़ोमे-ख़ुद बाहोशो-साहिबे-इदराक[3]

रही ख़िज़ाँ में तमन्ना कि फूल चुन लेते
बहार आई तो है दामने-तमन्ना[4] चाक[5]

वही तअल्लुक़े-ख़ातिर[6] है आज भी तुझसे
बईं हवादिसे-अय्यामो-गर्दिशे-अफ़लाक[7]

अदा नहीं है, ये है ज़िन्दगी उन आँखों में
बहुत हसीन[8], बहुत मुज़्तरिब[9], बहुत ग़मनाक[10]

तिरे निसार[11], मिरे फ़न की यूँ न कर तौसीफ़[12]
मिरे ये नक़्दो-जवाहर[13], तिरे ख़सो-ख़ाशाक[14]

हज़ार वो सही महबूब[15], है मेरी ही तरह
नज़र ख़ुलूसे-मुजस्सम[16], ज़ुबाँ बहुत बेबाक[17]

---

1. श्रीमान 'आली', 2. फटे हुए कपड़ों में, 3. स्वयं अपने ही अहंकार में कि मैं पूरे होशो-हवास में तथा ज्ञान-वान हूँ, 4. इच्छा का दामन, 5. फटा हुआ, 6. दिली सम्बन्ध, 7. आसमानों की गर्दिश तथा दिन-प्रतिदिन की दुर्घटनाओं के बावजूद, 8. सुन्दर, 9. व्याकुल, 10. पीड़ित, दुखी, 11. क़ुर्बान, 12. प्रशंसा, 13. सोने-चाँदी के सिक्के तथा जवाहरात, 14. घास-फूस, 15. प्रिय, 16. साक्षात् आत्मीय निश्छलता, 17. निडर

☆☆

कहीं तो होगी मुलाक़ात ऐ चमन-आरा[1]
कि मैं भी हूँ तिरी ख़ुशबू की तरह आवारा

हज़ार ऐब कमाये हैं एक ख़ूबी से
जो अब हूँ मैं, सो हूँ अपने मिज़ाज का मारा

हुआ न तीस बहारों में एक बार हमें
ये इश्तियाक़[2] कि आये बहार दोबारा

बग़ैर मर्कज़े-उम्मीदो-बे-सुकूने-दरूँ[3]
मैं इक ख़ला[4] हूँ जो साबित[5] बने न सय्यारा[6]

है एक शहर में और मुद्दतों नहीं मिलता
वो शख़्स जिसको रखा हमने जान से प्यारा

सो आज छोड़ गया आफ़ताब[7] भी हमको
बना हुआ था बहुत वो भी आँख का तारा

ये उम्र-उम्र के रिश्ते जो टूट जाते हैं
गिला ही क्या है कि ज़ालिम है वक़्त का धारा

तपाँ[8] हो रूह तो जलते हैं लब भी, आँखें भी
करे वो ज़ब्त[9] रहे जिसको ज़ब्त का यारा[10]

---

1. बाग़ को सजाने वाला, 2. उत्कंठा, तीव्र इच्छा, 3. बिना किसी आशा-बिन्दु तथा मानसिक आनन्दानुभूति के, 4. शून्य, 5. स्थिर, 6. अस्थिर, 7. आफ़ताब अहमद, मेरा एक दोस्त जिसका तबादला हो गया था, 8. तपती हुई, 9. सहन, 10. बल, सामर्थ्य

हर एक जलवे से बढ़ती है दिल में तारीकी[11]
नक़ाब डाल भी दो, हट भी जाओ मह-पारा[12]

बुरा न कह जो है दिल को तिरे जुनूँ से गुरेज़[13]
बहुत असीरे-तमन्ना[14] रहा है बेचारा

है उनके हाथ मिरे दस्ते-इफ़्तिख़ार[15] की लाज
जिन्हें ख़ुद अपनी अना[16] का चमन नहीं प्यारा

किसी में ऐब निकालें तो क्या कि हम अपना
ज़-फ़र्क़-ता-ब-क़दम[17] कर चुके हैं नज़्ज़ारा[18]

गया ज़माना कि शजरों[19] की साख होती थी
गया ज़माना कि बजता था फ़न[20] का नक़्क़ारा

कोई सुनाये तो 'आली' का हाल 'ग़ालिब' को
कि उसकी आग में ये जल रहा है बेचारा

---

11. अँधेरा, 12. चाँद का टुकड़ा, 13. पलायन, 14. कामनाओं का बन्दी, 15. गौरव रूपी हाथ, 16. स्वाभिमान, अहं भाव, 17. सर से लेकर पाँव तक, 18. अवलोकन, 19. वृक्षों, 20. कला

☆☆

न मैं बयाज़े-सहर[1] हूँ न मैं सवादे-शबी[2]
बस एक आह मगर वो भी आहे-ज़ेरे-लबी[3]

छलक सका है जो अब तक न अश्के-नीम शबी[4]
उसी में है तिरे सब ख़न्दाहा-ए-ज़ेरे-लबी[5]

रहे सब उनकी शराबे-निगाह[6] के क़ाइल[7]
कोई समझ न सका मेरा राज़े-तिश्नालबी[8]

समझ में कुछ नहीं आता ये राज़े-मस्लके-शौक़[9]
कभी वफ़ा-तलबी[10] है कभी जफ़ा-तलबी[11]

सुख़न[12] में तम्कनतो-ज़ब्ते-शौक़[13] के अहकाम[14]
मगर नज़र में वही शोख़ी-ओ-ख़ता-तलबी[15]

सुना नहीं कभी 'ग़ालिब' ने ज़िक्र ऐ 'आली'
यही हुआ है हमेशा मआले-खुश-लक़बी[16]

---

1. प्रातः की श्वेतता, 2. रात्रि की कालिमा, 3. होंठों में दबी हुई आह, 4. आधी रात का आँसू, 5. होंठों में दबी हुई मुस्कुराहटें, 6. दृष्टि रूपी मदिरा, 7. मानने वाले, 8. अतृप्ति का रहस्य, 9. प्रेम-मार्ग का रहस्य, 10. वफ़ा की इच्छा, 11. अत्याचार की कामना, 12. बातचीत, 13. प्रेमगत संयम तथा अहंकार प्रदर्शन, 14. आदेश, 15. चंचलता तथा दोष की कामना, 16. अच्छे पद का परिणाम

☆☆

वो आहे-नीम शबी[1] हो कि गिरिया-ए-सहरी[2]
हर एक काविशे-दिल[3] का मआल[4] बेअसरी[5]

जहाँ में रह के रसूमे-जहाँ[6] से बेख़बरी
हमें ही वजहे-ज़रर[7] है हमारी बेज़ररी[8]

ख़िज़ाँ में कोई परेशाँ नहीं हमारे सिवा
बहार हो तो सभी को है शौक़े-जामादरी[9]

मिरी भी हद्दे-मुहब्बत[10], तिरी भी हद्दे-सितम[11]
मिरी भी कम-नज़री है तिरी भी कम-नज़री[12]

हर इक मुक़ाम मयस्सर[13] है यादे-जानाँ[14] में
इसी में बाख़बरी[15] है, इसी में बेख़बरी[16]

इलाजे-शोरिशे-दिल[17] का नहीं कोई इम्काँ[18]
कभी हुई तो इसी दिल से होगी चारागरी[19]

हज़ार अश्क यहाँ बह गये मगर 'आली'
चमक रहा है अभी तक सितारा-ए-सहरी[20]

---

1. आधी रात की आह, 2. प्रातःकालीन विलाप, 3. दिल की कोशिश, 4. परिणाम, 5. प्रभावहीनता, 6. दुनिया की रस्मों, 7. अनिष्ट का कारण, 8. अनिष्ट-हीनता, 9. पागलपन का शौक़, 10. प्रेम की सीमा, 11. अत्याचार की सीमा, 12. संकुचित सोच, 13. उपलब्ध, 14. प्रिया की याद, 15. सतर्कता, 16. संज्ञा-हीनता, 17. हृदय के कोलाहल का उपचार, 18. संभावना, 19. चिकित्सा, 20. प्रातःकालीन सितारा

☆☆

कोई नहीं कि हो इस दश्त[1] में मिरा दमसाज़[2]
हर एक सिम्त[3] से आती है अपनी ही आवाज़

कभी तिलिस्मे-गुरूर[4] और कभी फ़ुसूने-नियाज़[5]
अदा-ए-सादगी-ए-दोस्त[6] तेरी उम्र-दराज़[7]

खुला ये दोस्त-नवाज़ी-ए-अहले-ज़ौक़[8] से राज़
कि क़द्र के लिए काफ़ी नहीं लबे-एजाज़[9]

ख़िज़ाँ में मंज़रे-गुल[10] दर्दनाक है लेकिन
यहीं से है मिरी रुदादे-शौक़[11] का आग़ाज़[12]

ये लब जो तिश्ना[13] है इक आहे-मुख़्तसर[14] के लिए
इसी में थे कभी लाखों फ़सानाहा-ए-दराज़[15]

रहा न दिल में ग़मे-तंगी-ए-गुलिस्ताँ[16] से
वो वलवला जिसे कहते हैं ताक़ते-परवाज़[17]

किस अंजुमन में दिले-सादा को सुकून मिले
कहीं है क़ैदे-हक़ीक़त[18], कहीं है क़ैदे-मजाज़[19]

ब ईं फ़सुर्दा-दिली[20] क्या ग़ज़ब है ऐ 'आली'
मुझे दिये चली जाती है ज़िन्दगी आवाज़

---

1. जंगल, 2. साथी, 3. ओर, तरफ़, 4. अहंकार का मायाजाल, 5. विनम्रता रूपी जादू, 6. ऐ दोस्त की सादगी की अदा, 7. तेरी आयु लम्बी हो, 8. सरस-अभिरुचि संपन्न लोगों की दोस्त-नवाज़ी, 9. चमत्कारी होंठ अर्थात मधुर-भाषी होना, 10. फूलों का दृश्य, 11. प्रेम-कथा, 12. प्रारम्भ, 13. अतृप्त, प्यासा, 14. छोटी-सी आह, क्षणिक उच्छवास, 15. लम्बी-लम्बी कहानियाँ, 16. उपवन की बदहाली का दुख, 17. उड़ान भर सकने की सामर्थ्य, 18. सत्य रूपी क़ैद, 19. भ्रान्ति रूपी क़ैद, 20. खिन्न मनोदशा के बावजूद

☆☆

मिरी नवा-ए-मुहब्बत[1] कभी न पस्त[2] न तेज़
बस इक रची हुई कैफ़ियते-अलम-अंगेज़[3]

ख़ुशा ![4] तवाज़ुने-फ़िक्रो-नज़र[5] कि अब मुझको
न ज़िन्दगी की तमन्ना, न ज़िन्दगी से गुरेज़[6]

अजीब है मिरी बेमुद्दआ हयात[7], ऐ दोस्त !
कि और बढ़ता चला जा रहा है शौक़े-सितेज़[8]

हज़ार हँसती हुई सूरतें नज़र आईं
मगर हर एक तबस्सुम[9] की लौ थी अश्क-आमेज़[10]

हर एक यूरिशे-दौराँ[11] को सह रही है हयात[12]
हज़ार बार छलक कर भी जाम है लबरेज़[13]

कभी विसाल[14] के लम्हों में सोज़े-महरूमी[15]
कभी फ़िराक़[16] की रातें भी इंबिसात-आमेज़[17]

यहाँ तो कुछ भी नहीं शोरिशे-जरस[18] के सिवा
समझ रहा था कि रफ़्तारे-काइनात[19] है तेज़

समझ न 'आली'-ए-गुमनाम को तिही माया[20]
ये मर्दे-सादा है ख़ाकिस्तरे-शरार-अंगेज़[21]

---

1. प्रेम की आवाज़, 2. शिथिल, 3. दुख-प्रद मनःस्थिति, 4. धन्य ! अहो !, 5. सोच तथा दृष्टि का संतुलन, 6. पलायन, 7. विषय-रहित ज़िन्दगी, निरर्थक जीवन, 8. हमेशा प्रतिकूल दिशा में चलने का शौक़, 9. मुस्कान, 10. अश्रु-मिश्रित, 11. दुनिया की ज़्यादती, 12. ज़िन्दगी, 13. परिपूर्ण, पूरा ऊपर तक लबालब भरा हुआ, 14. मिलन, 15. वंचित रहने का संताप, 16. विरह, जुदाई, 17. प्रसन्नतादायक, 18. घंटियों का शोर, जब क़ाफ़िला चलता है तो उसमें चलने वाले पशु आदि के गले में बंधी घंटियों का शोर, 19. सृष्टि की गति, 20. निर्धन, असहाय, 21. अंगारे उत्पन्न करने वाली राख

☆☆

गिला नहीं जो वो बेगाना-वार[1] गुज़रे हैं
हम ऐसे[2] अहले-सुख़न[3] बेशुमार[4] गुज़रे हैं

तरस न खाओ मिरी शिद्दते-तबाही[5] पर
कि उम्र भर यही लैलो-निहार[6] गुज़रे हैं

तमाम उम्र रहा ख़ौफ़े-नापज़ीराई[7]
जिधर से गुज़रे हैं दीवाना-वार[8] गुज़रे हैं

हमीं से तज़्किरा-ए-क़हते-आशिक़ाँ[9] तौबा !
हमीं तो कल तिरे कूचे[10] से यार गुज़रे हैं

रहीने-वज़्अ-ए-बुज़ुर्गां[11] है अपना दिल, यानी
तिरे ही शहर में तुझ-से हज़ार गुज़रे हैं

हमारा नाम भी रखिये फ़साना-ख़्वानों में[12]
कि हम भी अपने सवानह-निगार[13] गुज़रे हैं

हम अपने जोशे-तमन्ना[14] में भूल बैठे थे
कि हमसे और भी उम्मीदवार[15] गुज़रे हैं

उस अंजुमन[16] में तुझे कौन पूछता 'आली'
हज़ार तुझसे ग़रीबुद्दयार[17] गुज़रे हैं

---

1. बेगानों की तरह, 2. हम जैसे, 3. साहित्यकार, 4. असंख्य, 5. बर्बादी की तीव्रता, 6. रात-दिन, 7. अस्वीकृत होने का भय, 8. दीवानों की तरह, 9. प्रेमियों के अकाल पर टिप्पणी, 10. मुहल्ला, 11. बुज़ुर्गों की-सी मान्यता रखने वाला, 12. कहानी सुनाने वालों में, 13. जीवनी-लेखक, 14. प्रेम के उत्साह, 15. उम्मीद रखने वाले, 16. सभा, 17. परदेसी, बेवतन

☆☆

बेसबब[1] तुझसे हर इक बात पे नालाँ[2] होना
अपना पेशा[3] ही जो ठहरा है परीशाँ होना

इतनी रुसवाइयाँ[4] सह ली हैं तो इक ये भी सही
हमको मंज़ूर है मिन्नतकशे-दरबाँ[5] होना

तुझमें क्या बात है जो मुझ में नहीं है ज़ालिम
हाँ मगर तेरे लिए मेरा परीशाँ होना

हाए, उस बज़्म के आदाब[6] जहाँ लाज़िम[7] हो
कभी हैराँ नज़र आना, कभी हैराँ होना

उम्र भर के लिए काफ़ी है वही एक झलक
तुमको लाज़िम नहीं हर शय से नुमायाँ[8] होना

ख़ामुशी मेरी कहीं और पशेमाँ[9] न करे
तुम अगर हो भी तो ख़ल्वत[10] में पशेमाँ होना

लोग देखें तो न जाने इसे क्या समझेंगे
आईना देखना तेरा, मिरा हैराँ होना

जैसे साहिल से छुड़ा लेती हैं मौजें दामन
कितना सादा है तिरा मुझसे गुरेज़ाँ[11] होना

1. अकारण, 2. रोना-चिल्लाना, 3. काम, 4. बदनामियाँ, 5. द्वारपाल का आभारी, 6. शिष्टाचार, 7. अनिवार्य, 8. प्रकट, ज़ाहिर, 9. लज्जित, 10. एकान्त, 11. पलायनोन्मुख

हैं तिरे रुख़[12] पे वो तक़दीस[13] के परतौ[14] कि तुझे
ज़ेब देता ही नहीं दुश्मने-ईमाँ होना[15]

क्या ख़बर उनको कि है कितना अजीब ऐ 'आली'
इक गिराँ[16] शय का किसी के लिए अरज़ाँ[17] होना

12. चेहरा, 13. पवित्रता, 14. प्रतिबिंब, छायायें, 15. ईमान का दुश्मन होना शोभा नहीं देता, 16. महँगी, 17. सस्ता

☆☆

की जो ताख़ीर[1] तो शर्मिन्दा-ए-ताख़ीर[2] भी था
क्या जताते कि उधर कोई इनाँगीर[3] भी था

उम्र भर तुहमते-वहशत[4] से निबाही हमने
गो हमें रंजे-गराँबारी-ए-ज़ंजीर[5] भी था

हाए ये जब्रे-ख़मोशी[6] कि हम इस महफिल में
ऐसे नाज़ाँ[7] हैं कि गोया[8] लबे-तक़रीर[9] भी था

आज जो माँगते उनसे, वही मिलता लेकिन
दिले-मसरूर[10] कुछ आज़ुर्दा-ए-तासीर[11] भी था

हैफ़ 'आली' भी, ग़ज़ल उसकी ग़ज़ल पर लिखूँ
वो जो 'ग़ालिब' भी था और मोतक़दे-'मीर'[12] भी था

---

1. देर, विलम्ब, 2. विलम्ब होने पर लज्जित, 3. लगाम पकड़ कर सवार को रोक लेने वाला, अर्थात् बनता काम बिगाड़ने वाला, 4. वहशी होने का आरोप, 5. ज़ंजीर के बोझ तले दबे रहने का दुख, 6. चुप्पी का अन्याय, 7. गर्वान्वित, 8. जैसे, 9. बातें करते हुए होंठ, 10. प्रसन्न हृदय, 11. प्रभाव का सताया हुआ, 12. उर्दू के विख्यात शायर मीर तक़ी 'मीर' का श्रद्धालु

☆☆

ब ईं गुदाज़[1] अजब रंग का बयाँ होता
कोई रक़ीब[2] जो अपने भी दरम्याँ होता

झुका हुआ है जो सर आज तेरे क़दमों पर
अगर न वक़्त बिगड़ता तो आस्ताँ[3] होता

हर एक रह पे गये और ये भूलते ही गये
वो एक नक़्शे-क़दम[4] था, कहाँ-कहाँ होता

तिरे निसार[5] दिले-ग़ैर-मुत्मइन[6] पे न जा
इसे जो इश्क़ भी मिलता तो इम्तिहाँ होता

लिया न वादा-ए-दीदार[7] जानकर वरना
फिर इन्तिज़ार का यारा[8] हमें कहाँ होता

कोई तो रंगे-सुख़न[9] दे कि लोग कहते है
लगी थी आग तो कुछ आग का निशाँ होता

---

1. मांसलता के बावजूद, 2. एक ही व्यक्ति से प्रेम करने वाले दो व्यक्ति परस्पर रक़ीब कहलाते हैं, 3. दहलीज़, 4. चरण-चिह्न, 5. क़ुर्बान, 6. असन्तुष्ट हृदय, 7. मिलने का वादा, 8. बल, सामर्थ्य, 9. वार्तालाप का चिह्न

☆☆

मिल न सकती कोई तमसीले-वफ़ा[1] मेरे बाद
मैं तो ख़ुश हूँ वो मुझे भूल गया मेरे बाद

ख़ुद तिरे शहर के लोगों की रविश[2] कहती है
बदली-बदली-सी है गलियों की फ़िज़ा[3] मेरे बाद

इस्तलाहाते-मुहब्बत[4] में सदाक़त[5] न रही
लफ़्ज़ो-मानी[6] हुए रो-रो के जुदा मेरे बाद

इश्क़ ने हुस्न से तेवर ही बदल रखे हैं
न रहे नाज़ो-अदा नाज़ो-अदा[7] मेरे बाद

ख़ुश रहें हुस्ने-मुदारात[8] पे मरने वाले
वो अगर हो भी तो हो किस पे ख़फ़ा मेरे बाद

न हुआ चाक कोई दिल, न कोई जान हलाक
मुद्दतों तज़्किरा-ए-दोस्त[9] हुआ मेरे बाद

किसमें ताक़त थी कि मुहताजे-तवज्जो[10] ही रहे
कोई मुजरिम[11] नहीं महरूमे-सज़ा[12] मेरे बाद

---

1. वफ़ादारी की मिसाल, 2. आचार-व्यवहार, 3. आबो-हवा, वातावरण, 4. प्रेम की परिभाषिक शब्दावली, 5. सच्चाई, 6. शब्द व अर्थ, 7. हाव-भाव, 8. आवभगत का सौंदर्य, 9. दोस्त का ज़िक्र, 10. उपेक्षित, 11. अपराधी, 12. दंड से वंचित,

बाँकपन था जो वो इक चाहने वालों में वहाँ
वो हुआ शेवा-ए-तस्लीमो-रज़ा[13] मेरे बाद

हाए वो मश्ग़ला-ए-तंज़ो-तमस्ख़ुर[14] मुझसे
जो बना तज़्किरा-ए-सिदक़ो-सफ़ा[15] मेरे बाद

इतनी बेमेहरी-ओ-बेगाना-मिज़ाजी[16] का सबब[17]
यूँ कहा उसने कि बस कुछ न कहा मेरे बाद

कुफ़्र[18] कर जाएँ मगर उसको पयम्बर जानें
जिसके दामन में हो ख़ुशबू-ए-वफ़ा[19] मेरे बाद

मेरी आशुफ़्तगी-ए-शौक़[20] को इल्ज़ाम न दो
तुम्हीं होते मिरी तस्वीरे-वफ़ा[21] मेरे बाद

---

13. खुशी से सबकुछ स्वीकार कर लेने का चलन, 14. मनोविनोद तथा व्यंग्य, 15. सत्यता तथा स्वच्छता का प्रसंग, 16. उपेक्षा तथा निर्दयता, 17. कारण, 18. पाप, गुनाह, 19. वफ़ा की महक, 20. शौक़ की बोखलाहट, 21. वफ़ा की तस्वीर

☆☆

क्यों बुझ गये हो आतिशे-पिन्हाँ[1] को क्या हुआ
'आली' तुम्हारे सोज़े-दिलो-जाँ[2] को क्या हुआ

है क्यों क़बा-ए-ज़र से मुकल्लिफ़[3] तमाम जिस्म
उस इफ़्तिख़ारे-चाके-गिरेबाँ[4] को क्या हुआ

वो शौहरते-जुनूने-गुलो-गुँचा[5] क्या हुई
उस वहशते-ख़राबे-गुलिस्ताँ[6] को क्या हुआ

क्यों आ गया है ज़ब्तो-सलीक़ा ख़िताब में[7]
उस शिद्दते-ख़ुलूसे-फ़रावाँ[8] को क्या हुआ

क्यों हो चले हो शेफ़्ता-ए-जलवतो-जुलूस[9]
आशुफ़्तगी-ए-तब्अ-ए-गुरेज़ाँ[10] को क्या हुआ

क्यों उम्र भर के दोस्त नहीं अब शरीके-हाल
उस अहतिरामे-ख़ातिरे-याराँ[11] को क्या हुआ

हर रोज़ लोग देखते हैं तुमको शहर में
उस अहतिमामे-सैरे-बियाबाँ[12] को क्या हुआ

---

1. गुप्त अग्नि, 2. हृदय तथा प्राणों की जलन, 3. स्वर्ण-वस्त्र से कष्ट में, 4. फटे हुए कपड़ों के गौरव, 5. कलियों तथा फूलों के उन्माद की शौहरत, 6. उपवन के प्रेमोन्माद, 7. सम्बोधन में संयम तथा शिष्टता का आगमन, 8. अत्यधिक आत्मीय तीव्रता, 9. प्रदर्शन तथा गोष्ठियों के प्रेमी, 10. पलायनोन्मुख प्रकृति की व्याकुलता, 11. मित्रों के प्रेमजन्य सम्मान, 12. निर्जन-स्थल के भ्रमण का प्रयोजन

अब ईनो-आँ[13] का रहने लगा किसलिए ख़याल
उस लज़्ज़ते-तसव्वुरे-जानाँ[14] को क्या हुआ

वो फ़िक्र और वो हौसलामंदी कहाँ गई
रातों के सोज़[15], सुबह के अरमाँ को क्या हुआ

कम-कम है इन्किसार[16] में अब बाँकपन की लाग
उस ख़ुद-फ़रोज़[17] मश्अले-ईमाँ[18] को क्या हुआ

चितवन पे वो गुरूर न आँखों में वो सुरूर
देखो ये इक हसीन ग़ज़ल-ख़्वाँ[20] को क्या हुआ

---

13. यह और वह, 14. प्रियतम की कल्पना का आनन्द, 15. संताप 16. विनम्रता, 17. स्वयं-प्रकाशित, 18. ईमान रूपी मशाल, 19. सुन्दर ग़ज़ल सुनाने वाला

☆☆

बहुत दिनों से मुझे तेरा इन्तिज़ार है आजा
और अब तो ख़ास वही मौसमे-बहार है आजा

कहाँ ये होश कि उस्लूबे-ताज़ा[1] से तुझे लिक्खूँ
कि रूह तेरे लिए सख़्त बेक़रार है आजा

गुज़र चली हैं बहुत ग़म की शोरिशें[2] भी हदों से
मगर अभी तो तिरा सब पे इख़्तियार[3] है आजा

वो तेरी याद जो अब तक सुकूने-क़ल्बे-तपाँ[4] थी
तिरी क़सम है कि अब वो भी नागवार है आजा

ग़ज़ल के शिकवे, ग़ज़ल के मुआमलात जुदा हैं[5]
मिरी ही तरह से तू भी वफ़ा-शिआर[6] है आजा

बदल रहा हो ज़माना मगर जहाने-तमन्ना[7]
तिरे लिये तो अबद[8] तक भी साज़गार[9] है आजा

हज़ार तरह के अफ़कार[10] दिल को रौंद रहे हैं
मुक़ाबले में तिरे रंजे-रोज़गार[11] है आजा

---

1. नवीन शैली, 2. कोलाहल, 3. अधिकार, 4. जलते हुए हृदय के लिए आनन्दानुभूति, 5. पृथक हैं, अलग हैं, 6. जिसका काम ही वफ़ा करना हो, 7. प्रेम की दुनिया, 8. अनन्त-काल, 9. अनुकूल, 10. विचार, 11. युग की पीड़ा

☆☆

वहशत[1] ने लाके छोड़ दिया है कहाँ मुझे
हर सिम्त[2] ढूँढ़ते हैं बहारो-ख़िज़ाँ[3] मुझे

क्या-क्या रही निशाते-नज़ारा[4] और आजकल
ये भी ख़बर नहीं वो मिले थे कहाँ मुझे

दिल ही किसी के साथ न जाए तो क्या इलाज
मिलने को हर क़दम पे मिले कारवाँ मुझे

क्या कीजे उनसे तज़किरा-ए-काहिशे-फ़िराक़[5]
कह देंगे वो असीरे-ज़मानो-मकाँ[6] मुझे

अच्छा मुझे क़ुबूल अज़ाबे-रहो-मुक़ाम[7]
अब तुम बता भी दो कि मिलोगे कहाँ मुझे

---

1. उन्माद, 2. तरफ़, ओर, 3. बहार तथा पतझड़, 4. दृश्यों को निहारने की खुशी, 5. विरह की क्षीणावस्था का जिक्र, 6. देश-काल की सीमाओं में आबद्ध, 7. स्थान-विशेष तथा मार्ग की यातना

☆☆

अब तक मुझे न कोई मिरा राज़दाँ[1] मिला
जो भी मिला असीरे-ज़मानो-मकाँ[2] मिला

क्या जाने क्या समझ के हमेशा किया गुरेज़[3]
सौ बार बिजलियों को मिरा आशियाँ[4] मिला

उकता गया हूँ जादा-ए-नौ[5] की तलाश में
हर राह में कोई न कोई कारवाँ मिला

मुद्दत में हमने आप बनाया था इक उफ़ुक़[6]
जाते थे उस तरफ़ कि तिरा आस्ताँ[7] मिला

किन हौसलों के कितने दिये बुझ के रह गए
ऐ सोज़े-आशिक़ी[8] तू बहुत ही गिराँ[9] मिला

क्या कुछ लुटा दिया है तिरी हर अदा के साथ
क्या मिल गया हमें जो ये हुस्ने-बयाँ[10] मिला

था एक राज़दारे-मुहब्बत[11] से लुत्फ़े-ज़ीस्त[12]
लेकिन वो राज़दारे-मुहब्बत[13] कहाँ मिला

---

1. घनिष्ट आत्मीय, 2. देशकाल की सीमाओं में आबद्ध, 3. पलायन, 4. घर, घोंसला, 5. नया रास्ता, 6. क्षितिज, 7. दहलीज़, द्वार 8. प्रेम-पीड़ा, 9. महँगा, 10. सौन्दर्याभिव्यक्ति, 11. प्रेम-मर्मज्ञ, 12. जीवन का आनन्द, 13. प्रेम-मर्मज्ञ,

इक उम्र बाद उसी मुतलव्विन[14] निगाह में
कितनी मुहब्बतों का ख़ज़ाना निहाँ[15] मिला

अब जुस्तजू[16] का रुख़ जो मुड़ा है तो मत पुकार
सब तुझको ढूँढते थे मगर तू कहाँ मिला

---

14. रंग बदलने वाली, 15. छुपा हुआ, 16. खोज, तलाश,

☆☆

'आली' तेरी याद रही इक अर्से तक दीवानों में
ऐसे वहशी कम देखे जो रह न सकें वीरानों में

अपना घर क्या घर था लेकिन हाँ इक घर का नाम सा था
तेरी तवज्जोह[1] से अब वो भी शामिल है वीरानों में

एक तमन्ना, एक सहारा, एक तसव्वुर[2], एक जुनूँ[3]
फिर भी वो मेरे दिल की बातें रखते हैं अफ़सानों में

तज़्ज़िया-ए-अहसास[4] पे हर ग़म हौसला-ए-मजरूह[5] मिला
लेकिन ये क्या आग है जिसका खोज नहीं अरमानों में

कैफ़ियत[6] की बात अलग है चाहो जिस पर दिल रक्खो
हमको भी तो प्यार से देखो हम भी हैं इन्सानों में

इतनी क़द्र हुई पर अब तक उनसे दाद की ख़्वाहिश है
इतनी उम्र गँवाई 'आली' फिर भी रहे नादानों में

---

1. कृपा-दृष्टि, 2. कल्पना, 3. उन्माद, 4. संवेदना का विश्लेषण, 5. घायल उत्साह, 6. मस्ती, सुरूर।

☆☆

हाए उस शर्मो-तकल्लुफ़[1] पे ये अरमाँ मुझको
कोई समझे तो सही सोख़्ता-सामाँ[2] मुझको

गुज़र जाती है हर इक मंज़िले-आलामो-निशात[3]
लिये जाता है कहाँ शौक़े-फ़रावाँ[4] मुझको

ये तमाशा-ए-जुनूँ[5] है कि तक़ाजा-ए-जुनूँ[6]
देखे जाता है कोई दीदा-ए-हैराँ[7] मुझको

हाए ये शोख़ी-ए-तक़रीर[8] कि दो आलम में[9]
याद आई तो वही बज़्मे-रक़ीबाँ[10] मुझको

चारागर[11] तूने बहुत देर की आते-आते
अब तो होती ही नहीं ख़्वाहिशे-दरमाँ[12] मुझको

घुट के रह जाएगा दम ज़ब्ते-जुनूँ[13] से लेकिन
अब न देखोगे कभी चाक-गिरेबाँ[14] मुझको

लज़्ज़ते-तजुर्बा-ए-इश्क़[15] को इज़हार[16] भी दे
लोग कहते हैं अभी बेसरो-सामाँ[17] मुझको

---

1. संकोच तथा औपचारिकता, 2. दग्ध-हृदय, 3. सुख तथा दुख की स्थिति, 4. प्रेम तथा शौक़ का आधिक्य, 5. उन्माद का तमाशा, 6. उन्माद की माँग, 7. आश्चर्यचकित होकर, 8. वार्तालाप की चंचलता, 9. पृथ्वी तथा स्वर्ग में, 10. रक़ीबों की सभा, एक ही व्यक्ति से प्रेम करने वाले सभी व्यक्ति परस्पर रक़ीब कहलाते हैं, 11. चिकित्सक, 12. इलाज की इच्छा, 13. उन्माद के दमन, 14. अस्त-व्यस्त कपड़ों में, 15. प्रेमानुभूति का आनन्द, 16. अभिव्यक्ति, 17. जीवन-साधनों से रहित,

अब न जाऊँगा मैं उस शहर में ग़ज़लें पढ़ने
वो समझ लेंगे यूँ ही सिलसिला-जुंबाँ[18] मुझको

फूल खिलते हैं तो काँटों को जलन होती है
मुज़्दा-ए-ज़ीस्त[19] है बेमेहरी-ए-याराँ[20] मुझको

कितने मासूम हैं ये माह-रुख़ाने-दिल्ली[21]
सब समझते हैं बस अपना ही ग़ज़ल-ख़्वाँ[22] मुझको

हैं सवालात बहुत इश्क़ पे मेरे 'आली'
कौन जाने कि ये मुश्किल है न आसाँ मुझको

---

18. बिल्कुल नई बात उठाने वाला, 19. जीवन की शुभ-सूचना, 20. दोस्तों की नाराज़गी, 21. दिल्ली के चाँद जैसे चेहरे वाले लोग, 22. ग़ज़ल सुनाने वाला।

☆☆

जिसके आने की ख़बर थी अगर आया होता
हमने क्या-क्या न इसी घर को सजाया होता

हाए क्या तेरी तवज्जोह[1] से हलाकत[2] आती
दिले-बेदार[3] अगर काम न आया होता

तुम चमन में हो, बियाबाँ में हो, हर शय में हो
तुमने, ऐ काश ये मुझको न बताया होता

कहीं उस जैसों का मन्सब[4] है अकेले रहना
तुम न होते तो क़दे-यार का साया होता

इससे पहले कि उसे लाओ ग़ज़ल-फ़हमी पर
कोई नग़्मा, कोई संगीत सुनाया होता

और दावे तो जुदा उसके लिए ऐ 'आली'
आपने बारे-तमन्ना[5] ही उठाया होता

---

1. कृपा-दृष्टि, 2. मृत्यु, 3. जागृत हृदय, 4. पद, रुतबा, 5. प्रेम-इच्छा का बोझ

☆☆

उम्र भर ब-आसानी[1] बारे-ग़म[2] उठाने से
उन पे एतिबार आया ख़ुद को आज़माने से

उस हुजूम[3] में तुझको क्या ख़बर हुई होगी
किसको क्या तअल्लुक़[4] था तेरे आस्ताने से[5]

यूँ सलाम आने पर इक ख़लिश-सी होती है
काश, हमको बुलवाते वो किसी बहाने से

हाँ तो उनकी ख़ातिर से क्यों तराविशें[6] करते
जिस तरह वहाँ गुज़री कह गए ज़माने से

जब भी बज़्मे-आम में कोई फ़ित्ना[7] उठता है
या तुम्हारी महफ़िल से, या ग़रीब-ख़ाने से

सिलसिला यही होगा रुख़ बदलते जाएँगे
मैं तिरी हक़ीक़त से, तू मिरे फ़साने से

1. आसानी से,, 2. दुख का बोझ, 3. समूह, 4. सम्बन्ध, 5. द्वार से, 6. रंजिशें, 7. हंगामा, उपद्रव।

☆☆

नहीं कि तेरी तमन्ना का सिलसिला न रहा
मगर यही कि तिरा तज़्किरा[1] ज़रा न रहा

तू आज तर्के-तअल्लुक़[2] पे है मुसिर[3] कि यहाँ
तिरे सिवा कोई जीने का आसरा न रहा

न उनको हमसे मिलाये, न दिल से दूर करे
ख़ुदा भी वक़्ते-मुहब्बत[4] यहाँ ख़ुदा न रहा

उम्मीद रखेंगे अब तेरी बेनियाज़ी[5] से
करम[6] तो ख़ैर करम है, रहा, रहा न रहा

सो और कुछ नहीं बिगड़ा तिरी मुहब्बत में
यही हुआ कि मुहब्बत का हौसला न रहा

बता गए हैं बहुत कुश्तागाने-दिल[7] कि वफ़ा
गुनाह है अगर अंदाज़ा-ए-वफ़ा[8] न रहा

उस इक सुकूत[9] से इस एक जुंबिशे-लब[10] तक
वो कश्मकश थी कि अहसासे-मुद्दआ[11] न रहा

---

1. ज़िक्र, 2. सम्बन्ध-विच्छेद, 3. बार-बार आग्रह करता हुआ, 4. प्रेम-काल 5. उपेक्षा, उदासीनता, 6. कृपा-भाव, 7. प्रेम करने वाले, 8. प्रेम का उचित ज्ञान, 9. चुप्पी, 10. होंठों के कम्पन, 11. मूल विषय का ज्ञान,

तुझे तो शौक़े-वफ़ा[12] है मगर ख़ुदा के लिए
मैं क्या करूँगा अगर मुझसे तू ख़फ़ा[13] न रहा

ख़राबे-शेर[14] हूँ लेकिन यही सबब[15] है कि आज
तिरा भी नाम मिरे नाम से जुदा न रहा

इस इब्तिदा[16] के तमाशे कहाँ कहें 'आली'
जिस इब्तिदा में हमें शौक़े-इन्तिहा[17] न रहा

---

12. प्रेम का शौक़, 13. रुष्ट, नाराज़, 14. काव्य-प्रेमी, 15. कारण, 16. आरम्भ, 17. उत्कर्ष का चाव

☆☆

ये हसरते-दिले-शोरीदा-सर[1] भी देख चुके
हम उनकी बज़्म के शामो-सहर[2] भी देख चुके

है रहगुज़र[3] ही तिरी बाइसे-सुकूँ[4] लेकिन
वो क्या करें जो तिरी रहगुज़र भी देख चुके

अब इन्तिज़ार की कुछ और मंज़िलें, ऐ दोस्त !
कि तेरे चाहने वाले सहर[5] भी देख चुके

हैं बदनसीब जो रहते हैं नामुरादे-असर[6]
मगर जो लोग दुआ का असर भी देख चुके

रहा कमाले-हुनर[7] भी न अब बहाना-ए-दीद[8]
हम उनकी क़द्रे-कमाले-हुनर[9] भी देख चुके

नज़र से क़ल्ब[10] परीशाँ, ख़बर से अक़्ल ख़राब
नज़र भी देख चुके हम, ख़बर भी देख चुके

ज़माँ[11] से दूर कहीं और आज़मा हमको
कि शब[12] भी देख चुके हैं सहर भी देख चुके

---

1. उन्मादी हृदय की कामना, 2. शाम तथा सुबह, 3. मार्ग, रास्ता,4. आनन्दानुभूति का कारण, 5. प्रातः, 6. प्रभाव से वंचित, बेअसर, 7. हुनर (शायरी) का कमाल, 8. मिलन का बहाना, 9. हुनर (कला) के प्रभाव का मूल्य समझना, 10. हृदय, 11. देश-काल, 12. रात्रि।

☆☆

क्या-क्या दिये फ़रेब हर इक एतिबार ने
अपना बना लिया है तिरे इन्तिज़ार ने

क्या जाने कितने अहले-तरीकत को[1] आज तक
गुमराह कर दिया है तिरे रहगुज़ार[2] ने

कुछ उनकी जुस्तजू[3] है न कुछ अपनी गुफ़्तगू[4]
ये क्या बना दिया सितमे-रोज़गार[5] ने

हाँ, ऐ निगाहे-गर्म[6] न कर मुख़्तसर[7] हयात[8]
हमको हज़ार बोझ अभी हैं उतारने

उलझे हुए हैं गेसू-ए-जानाँ[9] में आज तक
'आली' चले थे काकुले-गेती[10] सँवारने

---

1. ब्रह्म ज्ञानियों को, 2. मार्गों, 3. तलाश, खोज, 4. बातचीत, वार्तालाप, 5. जगत द्वारा किए गए अन्याय, 6. गर्म निगाह, 7. संक्षिप्त, 8. जीवन, 9. प्रेयसी के केश, 10. जगत के केश

☆☆

जाने-ख़ुलूसो-रूहे-तमन्ना[1] कहें जिसे
हम उसको ढूँढ़ते हैं कि अपना कहें जिसे

अकसर मिलेगी महफ़िले-सरगश्तगाने-गुल[2]
उस गोशा-ए-चमन[3] में कि सहरा[4] कहें जिसे

हर साहिबे-निगाह[5] के हक़[6] में ये ज़िंदगी
इक जब्र[7] है कि जब्रे-गवारा[8] कहें जिसे

उन शारहीने-ग़म[9] को भला ग़म से क्या ग़रज़[10]
इक शग़्ल[11] है कि ग़म का तमाशा कहें जिसे

इस सोज़ो-कर्बो-दर्दो-तपिश[12] में नहीं वो बात
क्या चीज़ हो कि उनकी तमन्ना कहें जिसे

अफ़सोस, हलक़ाहा-ए-ख़िरद[13] में असीर है[14]
'आली' कि एक क़ल्बे-सरापा[15] कहें जिसे

---

1. प्रेम तथा निश्छल आत्मीयता का सार, 2. फूलों से प्रेम करने वाले उन्माद-ग्रस्त प्रेमियों की महफ़िल, 3. उपवन का कोना, 4. उजाड़ बियाबान, 5. दृष्टि-वान, 6. समझ, सोच, 7. अन्याय, अत्याचार, 8. स्वीकृत अन्याय, 9. पीड़ा के व्याख्या कारों, 10. मतलब, 11. सामान्य कार्य, 12. पीडा, दुख, संत्रास तथा व्यथा, 13. बुद्धिजीवियों के समूहों, 14. बन्दी है, 15. साक्षात-साकार हृदय

☆☆

हमें मिला न कभी सोज़े-ज़िंदगी[1] से फ़राग़[2]
अगर बुझा है कहीं दिल तो जल उठा है दिमाग़

वही हयात[3] जो नैरंगे-ख़ारो-गुल[4] है कभी
कभी ख़ला-ए-तमन्ना[5] है, जो न दश्त[6], न बाग़

जहाँ भी खोये गए क़ाफ़िले इरादों के
वहीं से मुझको मिला तेरी अंजुमन का सुराग़

गुज़र रही है अजब तरह ज़िन्दगी 'आली'
न बुझ रहा है चराग़ और न जल रहा है चराग़

---

1. जीवन की दग्धता, 2. छुटकारा, 3. जीवन, 4. फूल और काँटों का तिलिस्म, 5. कामना रूपी शून्य, 6. जंगल

☆☆

कभी एक शब[1] इधर भी सहरे-बहारे-ख़न्दाँ[2]
कि है मुद्दतों से सूनी तिरी बज़्मे-दर्द-मन्दाँ[3]

कोई ज़हमते-मुकर्रर[4] न अब ऐ निगारे-ख़न्दाँ[5]
बड़ी दिक़्क़तों में सुधरा है मिज़ाजे-ग़म-पसन्दाँ[6]

वो न जाने किस अदा से कोई वादा कर गये थे
कि तड़प रहे हैं अब तक मिरे अश्के-नीम-ख़न्दाँ[7]

कोई कारगाह[8] भी है तिरी कारगाह यारब[9]
कहीं चन्द लोग गिरियाँ[10], कहीं चन्द लोग ख़न्दाँ[11]

न तू अर्ज़े-हाले-ग़म[12] पर हो यूँ मुस्कुरा के रुख़्सत
कहीं और बढ़ न जाए हवसे-नियाज़-मन्दाँ[13]

वो निगाहे-क़हर[14] यारब रहे ता-अबद[15] सलामत
कि उसी से हो रही हैं मिरी जुर्रतें[16] दो-चन्दाँ[17]

है बहुत ही रूह-फ़र्सा[18] मुझे इन्तिज़ारे-ग़ुँचा[19]
मगर अस्ल में यही है हुनरे-बहार-बन्दाँ[20]

ये तजल्लियात[21] किसकी मिरे गिर्द हैं कि 'आली'
हैं चहार सिम्त[22] रक़्साँ[23] सरे-आतशीं-कमन्दाँ[24]

---

1. रात्रि, 2. बसन्त ऋतु की हँसती हुई सुबह, 3. हमदर्दों की सभा, सहानुभूति रखने वालों की महफ़िल, 4. तकलीफ़ उठाने की पुनरावृत्ति, 5. ऐ हँसमुख प्रेयसी, 6. पीड़ा को पसन्द करने वाले पीड़ितों का मिज़ाज, 7. आधे प्रसन्न आँसू, 8. सृष्टि, दुनिया, 9. हे ईश्वर, 10. रोते हुए, 11. हँसते हुए, 12. पीड़ा जन्य स्थिति का प्रगटन, 13. श्रद्धालुओं की कामना, 14. ज़ालिम निगाह, 15. अनन्त काल तक, 16. दुस्साहस, 17. द्वि-गुणित, दो गुना, 18. प्राणों के लिए कष्टदायक, 19. कलियों की प्रतीक्षा, 20. वसन्त-ऋतु के चाहने वालों का पसन्दीदा कार्य, 21. प्रकाश-समूह, 22. चारों तरफ़, 23. नृत्य करते हुए, 24. अग्नि-पाश-धारक

☆☆

ये ज़ौक़ो-शौक़[1], ये सोज़ो-सुरूर का आलम[2]
सुनाये जाएँगे तेरी हिकायतें[3] पैहम[4]

ज़माना गुज़रा कि दिल पर तिरी तवज्जोह[5] थी
जो अब नहीं है मगर दिल का है वही आलम

ज़माना गुज़रा कि हम शरहे-शौक़[6] करते थे
सो आज की भी ख़मोशी ज़रा नहीं मुब्हम[7]

ज़माना गुज़रा कि तुझसे थी रस्मो-राह[8] बहुत
सो आज भी है वही इन्तिज़ार का आलम

ज़माना गुज़रा कि अपनी वफ़ा में शिद्दत[9] थी
सो आज भी है तेरी बेवफ़ाई का आलम

ज़माना गुज़रा कि शोलों की तरह जलती थीं
सो आज भी मिरी आँखें हैं मौजा-ए-शबनम[10]

ज़माना गुज़रा कि इक ख़ौफ़े-नामुरादी[11] था
सो आज भी है वही तेरी आरज़ू[12] कम-कम

---

1. प्रेम तथा अभिरुचि, 2. आन्तरिक मस्ती की स्थिति, 3. कहानियाँ, 4. निरन्तर, 5. कृपा-दृष्टि, 6. प्रेम की व्याख्या, 7. अस्पष्ट, 8. मेल-मिलाप, 9. तीव्रता, 10. ओस-कणों की लहरें, 11. असफलता का भय, 12. कामना

☆☆

न दीजे और कुछ इन्आमे-शौक़े-रुसवाई[1]
सिवाय - नाज़िशे - यक लम्हा - ए - पज़ीराई[2]

किसी मुक़ाम पे राज़े-चमन[3] नहीं खुलता
बढ़ा रही है जुनूँ[4] को ख़िरद[5] की गहराई

करिश्माहा-ए-दिले-सादा[6] क्या बयाँ कीजे
इसी पे हस्रे-तमन्ना[7], यही तमन्नाई

तुझे तो कैसे बताऊँ कि ख़ुद भी याद नहीं
कहाँ-कहाँ की तिरे ग़म ने ख़ाक छनवाई

जहाँ में मंज़िले-मक़्सूद[8] का तअय्युन[9] क्या
कि एक तै हुई और दूसरी नज़र आई

ख़ुशा ![10] निगाहे-मुहब्बत[11] कि बार-बार वहाँ
ब इश्तियाक़[12] गई और ब इज़्तिराब[13] आई

तिरे ही तंज़ो-तमस्ख़ुर[14] का क्या गिला, ऐ दोस्त
हज़ार बार मुहब्बत पे ख़ुद हँसी आई

---

1. बदनामी से लगाव का पुरुस्कार, 2. स्वीकृति के एक लम्हे के गर्व के सिवा, 3. उपवन का रहस्य, 4. उन्माद, 5. बुद्धि, 6. निर्मल हृदय के चमत्कार, 7. प्रेम-आधार, 8. अभीष्ट लक्ष्य, 9. निर्धारण, 10. शभ सूचना !, अहो, वाह !, 11. प्रेम की दृष्टि, 12. उत्कंठित, 13. व्याकुल, बेचैन, 14. हास्य-व्यंग्य,

वजूदे-शम्ए-हक़ीक़त[15] को मानने वालो
कोई कहे तो सही, वो किसे नज़र आई

हुई तमाम तिरी एक ख़ुश-निगाही[16] से
तमाम शहर के लोगों से थी शनासाई[17]

अब उस इलाक़ा-ए-आवारगाँ[18] में ख़ैर नहीं
हवा-ए-कूचा-ए-जानाँ[19] कहाँ निकल आई

वो शामे-ग़म की सहारा थी आरज़ूओं का[20]
हुई तमाम तो क्या सुबहे-बेदिली[21] लाई

ग़ज़ल सुना के उन्हें मुत्मइन[22] से हैं 'आली'
उन्हें ख़फ़ा भी किया, उनसे दाद भी पाई

---

15. सत्य रूपी दीपक का अस्तित्व, 16. सकारात्मक दृष्टि, 17. जान-पहचान, 18. आवारा लोगों का क्षेत्र, 19. प्रेयसी की गली की हवा, 20 कामनाओं का, 21. उदासी की सुबह, 22. सन्तुष्ट।

☆☆

वीरान है 'जमील'[1] तुम्हारा, कब आओगे
रूहो-नज़र के अंजुमन-आरा[2], कब आओगे

हर बार ताने-ख़ल्क़[3] पे साकित[4] रही ज़ुबाँ
और दिल ही दिल में तुमको पुकारा, कब आओगे

तपते हैं जिस्मो-रूह[5] ज़ महरूमी-ए-हुज़ूर[6]
इक आग है ये ज़िक्र तुम्हारा, कब आओगे

है कैफ़े-इन्तिज़ार[7] मुबद्दल[8] ब-ज़हरे-यास[9]
मौजों से कट रहा है किनारा, कब आओगे

कोई तलाश, कोई तलब, कोई जुस्तजू
मेरा कोई नहीं है सहारा, कब आओगे

ख़ल्वत[10] में इज्तिनाब[11] वो जल्वत[12] में इल्तिफ़ात[13]
मुझको हर एक बात गवारा,[14] कब आओगे

---

1. प्रस्तुत रचना के शायर का नाम, 2. प्राणों तथा दृष्टि की सभाओं को सुशोभित करने वाला, 3. दुनिया के ताने अर्थात व्यंग्य, 4. मौन, 5. शरीर तथा प्राण, 6. हुज़ूर के (आपके) न होने से, 7. प्रतीक्षा का आनन्द, 8. परिवर्तित, 9. उदासी के ज़हर से 10. एकान्त, 11. उपेक्षा, उदासीनता, 12. प्रदर्शन, ज़ाहिरी तौर पर, 13. कृपा, 14. स्वीकार

☆☆

हँसी में तल्ख़ी-ए-आलाम[1] को छुपाए हुए
चले चलो यूँ ही बारे-हयात[2] उठाए हुए

हज़ार रूप निराले भरे बयानों में
मगर रहे वही क़िस्से सुने-सुनाए हुए

सिवाय उसके यहाँ दावा-ए-बहार[3] नहीं
कि एक मैं भी हूँ अपना चमन सजाए हुए

किसे ख़बर कि ये सरगर्म रहरवाने-हयात[4]
रवाँ-दवाँ[5] हैं तो क्या-क्या फ़रेब खाए हुए

ख़ता किसी की हो लेकिन अजीब है ये मुक़ाम
अलग-अलग से हैं दो दिल क़रीब आए हुए

हम अपना हाल सुनाते न बेसबब[6] लेकिन
ज़माना गुज़रा है तुमको भी मुस्कुराए हुए

कभी तुलूअ[7] हो वो सुब्ह जिसका वादा है
हर एक रात गुज़रती है लौ लगाए हुए

---

1. दुखों की कड़वाहट, 2. जीवन रूपी बोझ, 3. वसन्त की पुष्टि, 4. जीवन रूपी मार्ग के यात्री, 5. तीव्र चलते हुए, 6. अकारण, 7. उदय होना,

☆☆

कोई बहार की ख़ातिर, कोई ख़िज़ाँ के लिए
बस एक मैं ही रहा सिर्फ़ गुलिस्ताँ[1] के लिये

इलाही[2] मुझसे नज़र छीन ले कि अहले-नज़र[3]
तमाम उम्र तड़पते हैं राज़दाँ[4] के लिये

मुसर्रतें[5] जो मिलीं तेरे लुत्फ़े-पैहम से[6]
मचल रही हैं किसी ज़ोरे-नागहाँ[7] के लिये

मुझे हैं ख़ार से कुछ ख़ास निस्बतें[8] कि ये गुल
बहार में न खिला रौनक़े-ख़िज़ाँ[9] के लिए

हमें इन अहले-सुख़न[10] में न कर शुमार कि ये
फ़ुग़ाँ[11] भी करते हैं ख़ुश-वक़्ती-ए-फ़ुग़ाँ[12] के लिए

करें न ज़िक्र तुम्हारा तो क्या करें कि हमें
कुछ और मिल न सका अपनी दास्ताँ के लिए

हमारे शहर में फ़न के इजारादारों ने
कुचल रखा है दिलों को फ़क़त ज़ुबाँ के लिये

हम अपने देस और अपने ही शहर में 'आली'
गदागरी[13] पे हैं मजबूर सोज़े-जाँ[14] के लिये

---

1. उपवन, 2. हे ईश्वर, 3. दृष्टि-वान, 4. हमराज़, राज़दार, 5. प्रसन्नताएँ, 6. स्थायी कृपा से, 7. आकस्मिक अत्याचार, 8. सम्बन्ध, 9. पतझड़ को सुशोभित करने हेतु, 10. साहित्यकारों, 11. आर्तनाद, करुण विलाप, 12. आर्तनाद के औचित्य, 13. भीख माँगने का काम, 14. आन्तरिक जलन

☆☆

उभर आया है बहारों के चले जाने से
इक जुनूँ जिसका तअल्लुक़ नहीं वीराने से

उम्र भर की ये मिरी परवरिशे-सोज़ो-गुदाज़[1]
फिर तमन्ना बनी जाती है तिरे आने से

जिस तवज्जोह[2] की ज़रूरत थी वही जब न हुई
क्या हुआ एक छलकते हुए पैमाने से

वो तहस्सुर[3] जो तिरे ग़म से मिरी रूह में है
तुझको महसूस न होगा मिरे अफ़साने से

ऐसे बेआसरा छोड़ा है कि अब तक ऐ दोस्त
बू-ए-गुल[4] खेल रही है तिरे दीवाने से

कोई ऐसा नहीं 'आली' भी तो घर रखता है
क्या बिगड़ जाएगा इक बार वहाँ जाने से

---

1. संवेदन-शीलता तथा आन्तरिक संताप का पालन-पोषण 2. कृपा-दृष्टि, 3. पीड़ा, अफ़सोस, 4. फूल की खुशबू

☆☆

हक़ीक़तों को फ़साना बना के भूल गया
मैं तेरे इश्क़ की हर चोट खा के भूल गया

ज़रा ये दूरी-ए-अहसासे-हुस्नो-इश्क़[1] तो देख
कि मैं तुझे तिरे नज़दीक आके भूल गया

अब इससे बढ़ के भी वारफ़्तगी-ए-दिल[2] क्या हो
कि तुझको ज़ीस्त का हासिल[3] बना के भूल गया

गुमान जिस पे रहा मंज़िलों का इक मुद्दत
वो रहगुज़ार[4] भी मंज़िल पे आके भूल गया

बहाये थे जो ग़मे-आरज़ू[5] में बरसों तक
उन आँसुओं को फ़क़त[6] मुस्कुरा के भूल गया

अब ऐसी हैरतो-वारफ़्तगी[7] को क्या कहिए
दुआ को हाथ उठाये, उठा के भूल गया

दिलो-जिगर हैं कि गर्मी से पिघले जाते हैं
कोई चराग़े-तमन्ना[8] जला के भूल गया

---

1. प्रेम तथा सौन्दर्य के अहसास की दूरी, 2. आत्म-विस्मृति, 3. जीवन-सार, 4. मार्ग, 5. प्रेम-पीड़ा, 6. मात्र, केवल, 7. निस्तब्धता तथा आत्म-विस्मृति, 8. प्रेम का दीपक

☆☆

ग़ज़ल का दर्द, ग़ज़ल का गुदाज़[1] लाया हूँ
तिरे लिये तिरी तस्वीरे-नाज़[2] लाया हूँ

गहे[3] सुकूने-लबे-जू[4], गहे तलातुमो-बर्क़[5]
तिरे हुज़ूर तिरे इम्तियाज़[6] लाया हूँ

निगह से निस्बते-मानी[7], अदा से रब्ते-कलाम[8]
वही वक़ार[9], वही सोज़ो-साज़[10] लाया हूँ

बयाँ में शहदो-तरन्नुम[11], असर में कर्ब तमाम[12]
तिरी ही अस्ल, तेरा ही मजाज़[13] लाया हूँ

ये तर्ज़े-अत्फ़ो-इज़ाफ़त[14] नहीं मेरी ईजाद[15]
वही तसल्सुले-ज़ुल्फ़े-दराज़[16] लाया हूँ

ये रंगो-शौकते-अल्फ़ाज़[17] ख़ाना-साज़[18] नहीं
वही जमाले-रुख़े-दिल-नवाज़[19] लाया हूँ

ये इन्तिज़ामे-क़वामी[20], ये इन्तिख़ाबे-बुहूर[21]
तिरे ही नाज़[22] बशक्ले-नियाज़[23] लाया हूँ

---

1. द्रवित करने की क्षमता, 2. हाव-भाव मयी चित्र, 3. कभी, 4. नदी किनारे की शान्ति, 5. बिजली और तूफ़ान, 6. विशेष गुण, 7. अर्थ का सम्बन्ध, 8. काव्य का सम्बन्ध, 9. प्रतिष्ठा, 10. लय तथा वाद्य, 11. मिठास तथा लय-बद्धता, 12. साक्षात पीड़ा, 13. भ्रम, 14. अत्फ़ तथा इज़ाफ़त की शैली, 15. खोज, 16. लम्बी केशराशि की निरन्तरता, 17. शब्दों का वैभव तथा रंगीनी, 18. घर बनाने वाला, 19, प्रेयसी का रूप-सौंदर्य, 20. सत्य-प्रबन्धन, 21. छन्दों का चयन, 22. अहंकार, 23. विनम्रता के रूप में,

कहीं-कहीं जो ये चुपचाप क़ाफ़िये[24] हैं रवाँ[25]
वही सुकूते-तकल्लुम-नवाज़[26] लाया हूँ

कहीं-कहीं जो ये शोले बने हुए हैं हरूफ़[27]
वही तजल्ली-ए-सद बर्क़-साज़[28] लाया हूँ

वही ख़ुलूस[29] जो हर कम-तवज्जुही से[30] खुला
उसे भी नीम-अयाँ[31], नीम-राज़[32] लाया हूँ

ये दिल पे ख़ुद जो रखे हैं हज़ारहा[33] इल्ज़ाम
तिरी ही मस्लहतों[34] का जवाज़[35] लाया हूँ

सुपुर्दगी हो, तहस्सुर[36] हो, या हक़ीक़त हो
तमाम हासिले-उम्रे-दराज़[37] लाया हूँ

24. तुकान्त, 25. प्रवाहित, 26. वार्तालाप का महत्व बढ़ाने वाला मौन, 27. अक्षर, 28. सैकड़ों बिजलियाँ बनाने वाली ज्योति, 29. निश्छल आत्मीयता, 30 उपेक्षा से, 31. आधा प्रकट, 32. आधा रहस्यमयी, 33. हज़ारों 34. भलाइयों, 35. औचित्य, 36. पश्चाताप, 37. दीर्घायु की उपलब्धियाँ

☆☆

गुज़ारनी है बहरहाल[1] पेचो-ताब[2] न खाओ
नये अलम[3] भी पुराने ग़मों की रौ में बहाओ

ये दिल की आग, ये तारों का आसमाँ पे चुनाओ
पुराने राहनुमाओ ![4] मुझे भी राह दिखाओ

बहल ही जाएगा दिल जैसे आज तक बहला
गुज़र चुकी है बहुत रात अब दिये न जलाओ

है एक ताज़ा सितम तेरी मेहरबानी भी
कि हर अदा से नुमायाँ[5] है सो दुखों का रचाओ[6]

भटकने वालो ! अँधेरे न मिट सकेंगे कभी
जो हो सके तो वही इक चराग़े-इश्क़[7] जलाओ

अजीब हाल हुआ तेरी याद पर जैसे
भटकते जाएँ हज़ारों बुझे-बुझे से अलाओ[8]

हक़ीक़तों की तपिश से मफ़र[9] नहीं 'आली'
कोई फ़रेब न दो और कोई फ़रेब न खाओ

---

1. हर हाल में, 2. गुस्सा, क्रोध, 3. दुख, 4. मार्ग-दर्शको, 5. प्रकट, 6. रचाव, 7. प्रेम-दीपक, 8. अलाव, 9. बचाव का उपाय

☆☆

तिरे ही गुँचा-ओ-गुल[1] हैं तिरे ही वीराने
जिधर का हुक्म हो पहुँचें उधर ही दीवाने

वो तेरी बरहमी-ओ-बेरुख़ी[2] को क्या माने
जो हर शिकस्त[3] को तम्हीदे-आरज़ू[4] जाने

दिले-तबाह[5] को इतना शऊर[6] भी न रहा
कि आज तेरे करम[7] की निगाह पहचाने

न थी बहार तो सबको था इद्दिआ-ए-जुनूँ[8]
बहार आई तो ख़ाली पड़े हैं वीरानें

है सोज़े-शम्अ[9] से इक मुझको आगही[10] वरना
मिरे सिवा हैं सभी रोशनी के दीवाने

ये मयकदा है कि है क़त्लगाहे-अहले-सुरूर[11]
लहू से सुर्ख़[12] किये जा रहे हैं पैमाने

बहुत मिले मगर ऐसा मिला न वाक़िफ़े-हाल[13]
जो मुझसे पहले सुना दे मिरे सब अफ़साने

---

1. फूल-कलियाँ, 2. उपेक्षा तथा उदासीनता, 3. पराजय, 4. प्रेमारम्भ की भूमिका, 5. नष्ट हृदय, 6. ज्ञान, बोध, 7. कृपा, 8. उन्माद की इच्छा, 9. शम्अ की आन्तरिक जलन, 10 परिचय, 11. शराबियों का वध-स्थल, 12. लाल, 13. हालत का जानकार,

तुझे तो अपनी मुहब्बत से काम है ऐ दिल
ये क्या ज़रूर कि वो तेरी क़द्र भी जाने

मैं इस जहाँ में गुले-बेचमन[14] रहा यानी
वो शम्अ जिसको मयस्सर[15] हुए न परवाने

हज़ार साहिबे-इदराक[16] हो मगर 'आली'
कभी-कभी नज़र आते हो तुम भी दीवाने

14. बिना उपवन का फूल, 15. प्राप्त, उपलब्ध, 16. ज्ञान-वान

☆☆

समझ सका न कोई राज़े-हुस्ने-बेगाना[1]
जुज़ ईं नियाज़-पसन्दी-ए-क़ल्बे-दीवाना[2]

ये चाँदनी, ये फ़िज़ा[3], ये हवा-ए-मैख़ाना[4]
दवाम[5] हो तो मिले मुझको एक पैमाना

तिरी निगाह की तौसीफ़[6] हो रही है मगर
मिरी ही तिश्नालबी[7] भर रही है पैमाना

जहाँ पहुँच न सका कोई जज़्बा-ए-मुहतात[8]
वहाँ गया है मिरा ज़ौक़े-सरफ़रोशाना[9]

नहीं है सरमदो-मन्सूर[10] पर ही ख़त्म जुनूँ[11]
मुझे भी लोगों ने अकसर कहा है दीवाना

शिकायते-ग़मे-दिल[12] को ज़ुबाँ नहीं खुलती
कि उस निगाह के अन्दाज़ हैं करीमाना[13]

तमाम बज़्म में इक हम ख़मोश बैठे हैं
सुना रहे हैं सभी तुझको तेरा अफ़साना

---

1. अपरिचित सौन्दर्य का रहस्य, 2. प्रेमी हृदय की विनम्रता के अतिरिक्त, 3. वातावरण, 4. मदिरालय की नशीली हवा, 5. स्थिर, स्थायी, 6. प्रशंसा, 7. प्यास, 8. सतर्क भाव, 9. पागलों की-सी अभिरुचि, जान की बाज़ी लगा देने वालों की अभिरुचि, 10. सरमद तथा मंसूर, 11. उन्माद, 12. हृदय-पीड़ा की शिकायत, 13. दयालु ईश्वर के समान,

यक़ीन रख कि तिरी अंजुमन से हम भी कभी
तिरी ही तरह से गुज़रेंगे बेनियाज़ाना[14]

गुज़ारती है शबे-ग़म[15] किसी तरह ऐ दोस्त
न अपनी कोई कहानी, न कोई अफ़साना

न पूछ मुझसे किसी शै की अस्ल[16], ऐ हमदम !
कि देखता हूँ मैं आबादियों में वीराना

अजब इताबे-मशीयत[17] है मुझ पे ऐ 'आली'
गदा[18] बना के दिया है मिज़ाजे-शाहाना[19]

---

14. उदासीनता तथा उपेक्षा का भाव लिए हुए, 15. दुख की रात, 16. वास्तविकता, 17. ईश्वरीय प्रकोप, 18. भिखारी, 19. शाही स्वभाव

☆☆

बेगाना - ए - क़ुयूदे - बहारो - ख़िज़ाँ[1] रहे
यारब ![2] मिरा जुनूने-मुहब्बत[3] जवाँ रहे

ये भी समझ सकी है न अब तक निगाहे-शौक़[4]
तुमने कहाँ फ़रेब दिया और कहाँ रहे

दुनिया में चाके-दिल[5] को नहीं पूछता कोई
क्या जाने कितने अहले-जुनूँ[6] बेनिशाँ[7] रहे

उस अंजुमन[8] में हम भी पहुँच तो गए मगर
जब तक रहे मिज़ाजे-नज़र[9] पर गिराँ[10] रहे

क्या-क्या जफ़ाएँ की हैं हर इक आरज़ू के साथ
और इस तरह कि उनपे वफ़ा का गुमाँ[11] रहे

अब यूँ करम न कर कि ब ईं वस्फ़े-हुस्नो-नाज़[12]
शायद तुझे भी इश्क़ का सौदा गिराँ[13] रहे

लेने दे अपना नाम भी मुझको कि मेरे बाद
तू भी मिरी ग़ज़ल के सबब[14] जाविदाँ[15] रहे

---

1. वसन्त तथा पतझड़ की क़ैद से अपरिचित, 2. हे ईश्वर, 3. प्रेमोन्माद, 4. प्रेम-दृष्टि, 5. भग्न-हृदय, 6. उन्मादी, 7. अज्ञात, 8. सभा, 9. दृष्टि का मिज़ाज, 10. बोझ, 11. भ्रम, 12. हाव-भाव तथा सौन्दर्य की प्रशंसा के अतिरिक्त, 13. महँगा, 14. कारण, 15. शाश्वत

☆☆

दोबारा दीदा-ओ-दिल[1] आज़माये जाते हैं
सुना गया है कि हम फिर बुलाये जाते हैं

वो बामो-दर[2] मुतज़लज़िल[3] से पाये जाते हैं
अरे ये किसके क़दम डगमगाये जाते हैं

न उस नज़र में तलातुम,[4] न उन लबों पे हँसी
न जाने आज कहाँ आज़माये जाते हैं

कहाँ रक़ीबे-हवस-दोस्त[5] और कहाँ वो नाज़[6]
जो नाज़ हमसे ब-मुश्किल[7] उठाये जाते हैं

करम करो कि मेरी ख़ानुमाँ-ख़राबी[8] से
तमाम हुस्न[9] पे इल्ज़ाम आये जाते हैं

किसे नसीब हुआ तक्मिला[10] गुलिस्ताँ का
सब अपने-अपने हयूले[11] बनाये जाते हैं

बस, ऐ नज़ाकते-दिल[12] वजहे-ज़िन्दगी[13] मत पूछ
जो बोझ उठ नहीं सकते, उठाये जाते हैं

यही तो होगा कि वो भूल जाएँगे 'आली'
सो हम भी अपनी कहानी सुनाये जाते हैं

---

1. आँखें तथा हृदय, 2.छत तथा दरवाज़ा, 3. काँपते हुए, 4. तूफ़ान, 5. वासना-प्रिय रक़ीब (एक ही व्यक्ति से प्रेम करने वाले दो या दो से अधिक व्यक्ति परस्पर रक़ीब कहलाते हैं), 6. नाज़-नखरे, 7. मुश्किल से, 8. बर्बादी, 9. सम्पूर्ण जगत का सौन्दर्य, 10. पूर्ण अस्तित्व, 11. काल्पनिक रूपाकार, 12. हृदय की कोमलता, 13. जीवन जीने का कारण

☆☆

आँखों में हया[1] आ जाती है, होंठों पे तबस्सुम[2] लाते हैं
वो मुझ पे सितम जब करते हैं, तस्वीरे-करम[3] बन जाते हैं

अब आप इनायत[4] करने की तकलीफ़ ही क्या फ़रमाते हैं
दिन यूँ भी गुज़रने ही ठहरे, दिन यूँ भी गुज़रते जाते हैं

अल्ला रे, ख़सो-ख़ाशाक[5] से ये हँस-हँस के चटानों का कहना
तूफ़ान को वो क्या समझेंगे, तूफ़ान में जो बह जाते हैं

इक सिम्त[6] मुसलसल[7] उम्मीदें, इक सिम्त मुसलसल महरूमी[8]
कब तक उट्ठे बारे-हस्ती[9], शाने[10] हैं कि टूटे जाते हैं

अब ऐसी करम की बातों से दबती हैं कहीं दिल की चोटें
तुम जितना मिटाते जाते हो ये नक़्श[11] उभरते जाते हैं

इस दौरे-परेशानी[12] में भी वो वक़्त भी आता है 'आली'
कुछ दिल भी धोखे खाता है, कुछ वो भी करम फ़रमाते हैं

---

1. लज्जा-भाव, 2. मुस्कान, 3. साक्षात कृपा, 4. मेहरबानी, 5. घास-फूस, 6. तरफ़, ओर, 7. निरन्तर, 8. नाकामी, असफलता, 9. जीवन-बोझ, 10. कँधे, 11. चिह्न, 12. संकट-काल।

☆☆

उम्र भर चारा-ए-जुनूँ[1] न हुआ
अब ये क्या सोचते कि क्यूँ न हुआ

नहीं मालूम क्यों तबीअत में
आज रोने से कुछ सुकूँ न हुआ

कहीं वो माइले-करम[2] ही न हों
मुस्कुराये तो ग़म फ़ुज़ूँ[3] न हुआ

हम पियें भी तो क्या पियें ये मय
भर गया जाम लाला गूँ[4] न हुआ

शायद अब के बरस है ख़त्म जुनूँ
फ़स्ले-गुल[5] में मुझे जुनूँ न हुआ

इश्क़ का ज़िक्र शेर में क्यों है
ये तो 'आली' ग़मे-दरूँ[6] न हुआ

1. उन्माद की चिकित्सा, 2. कृपा करने पर तत्पर, 3. अधिक, 4. रक्त वर्ण, लाल, लाला नामक पुष्प के समान, 5. फूलों का मौसम, 6. आन्तरिक पीड़ा

☆☆

कभी ख़िरद[1] को कभी दिल को आज़माये गये
ग़रज़[2] ये है कि फ़रेबे-हयात[3] खाये गये

उस अंजुमन में मिरी हैरतें अजीब न थीं
कि चन्द परदे बहुत देर में उठाये गये

बहुत उजाड़ी गईं बस्तियाँ तमन्ना की
बसाने वाले वही बस्तियाँ बसाये गये

अजीब हाल है बेचारगाने-उल्फ़त[4] का
इसी में ख़ुश हैं कि उस बज़्म में बुलाये गये

अँधेरी रात में क्या-क्या सदायें[5] आती थीं
सो उनको याद किया और वो याद आये गये

तुझे ख़बर भी नहीं और ख़ल्क़[6] पूछती है
ये कौन लोग हैं आख़िर कहाँ सताये गये

कहाँ हैं लफ़्ज़ कि वो उनके ज़िक्र में काम आएँ
जो मुझसे दूर रहे और क़रीब आये गये

हर अहतियात[7] के बावस्फ़[8] जब वो बज़्म सजी
वहीं कहीं किसी गोशे[9] में हम भी पाये गये

---

1. बुद्धि, 2. तात्पर्य, 3. जीवन के धोखे, 4. प्रेम करने वाले बेचारे, 5. आवाज़ें, 6. जनता, 7. सतर्कता, 8. बावजूद, 9. कोने।

☆☆

कर्ब[1] हो कि लज़्ज़त[2] हो, ज़िन्दगी ग़नीमत[3] है
ऐ शरारा-ए-बेताब[4], बस यही ग़नीमत है

वक़्त ने मिटा डाले वो गुलाब से रुख़सार[5]
अब तो ज़र्द[6] चेहरों की दिलकशी[7] ग़नीमत है

हुस्नो-इश्क़ का मफ़्हूम[8], क्यों समझ के हो मग़मूम[9]
ऐसे चन्द लफ़्ज़ों की नग़्मगी[10] ग़नीमत है

तिश्नगी[11] कि सैराबी[12], बेहिसी[13] कि बेताबी[14]
सब फ़रेब है लेकिन तिश्नगी ग़नीमत है

एक जुस्तजू[15] तो है, एक गुफ़्तगू तो है
इस सदी में, फिर यारो, आशिक़ी ग़नीमत है

---

1. पीड़ा, 2. आनन्द, 3. उत्तम, श्रेष्ठ, 4. प्रज्वलित अग्नि-कण, 5. कपोल, गाल, 6. पीला, 7. आकर्षण, 8. अर्थ, 9. दुखी, उदास, 10. गेयता, 11. तृष्णा, 12. तृप्ति, 13. संवेदन-हीनता, 14. व्याकुलता, उत्कंठा, 15. तलाश, खोज

☆☆

कोई तो शक्ल[1] मुहब्बत में साज़गार[2] आये
हँसी नहीं है तो रोने से ही क़रार आये

है एक नेमते-उज़्मा[3] ग़मे-मुहब्बत[4] भी
मगर ये शर्त कि इन्साँ को साज़गार आये

जुनूने-दश्त-पसन्दी[5] बताये देता है
गुज़ारनी थी जो घर में वो हम गुज़ार आये

गुज़ारनी है मुझे उम्र तेरे क़दमों में
मुझे न क्यों तिरे वादों पे एतिबार आये

निगाहे-दोस्त[6] कोई और बात है वरना
तू बेक़रार करे और मुझे क़रार आये

है मुत्मइन[7] भी तो किस-किस उमीदो-बीम[8] के साथ
वो नामुराद जिसे लुत्फ़े-इन्तिज़ार आये

बता गई है जो मुझको वो बेक़रार निगाह
न कह सकूँगा अगर आज भी क़रार आये

ये इम्तियाज़[9] है 'ग़ालिब' के बाद 'आली' का
कि जिसपे आप मरे हैं, उसे भी मार आये

---

1. उपाय, 2. रास, अनुकूल 3. बहुत बड़ी ईश्वरीय देन, 4. प्रेम-पीड़ा, 5. जंगल -जंगल घूमने का उन्माद, 6. प्रिय की दृष्टि, 7. सन्तुष्ट, 8. आशा-निराशा, 9. विशेष गुण

☆☆

नज़रों से बसीरत[1] की निहाँ[2] कुछ भी नहीं है
सब कुछ है जहाँ और जहाँ कुछ भी नहीं है

हम मिट गये उस फ़ितरते-आशुफ़्ता[3] की ख़ातिर
हालाँकि वो ग़ारतगरे-जाँ[4] कुछ भी नहीं है

दिल की जो न कहिये तो ज़ुबाँ काशिफ़े-अस्रार[5]
और दिल की जो कहिये तो ज़ुबाँ कुछ भी नहीं है

दिलवालों को दिल वालों से है हर्फ़ो-हिकायत[6]
ज़ाहिर में मुहब्बत का निशाँ कुछ भी नहीं है

रंगीनो-नज़र-सोज़ मनाज़िर[7] से गुज़र कर
पहुँचा हूँ वहाँ मैं कि जहाँ कुछ भी नहीं है

ये इश्क़ जो ज़ाहिर हो तो हिल जायें दो आलम
जुज़ चन्द इशाराते-निहाँ[8] कुछ भी नहीं है

मुझ ख़ूगरे-बेगानगी-ए-दोस्त[9] को 'आली'
बेगानगी-ए-अहले-जहाँ[10] कुछ भी नहीं है

---

1. अन्तर्ज्ञान, 2. गुप्त, छिपा हुआ, 3. उद्विग्न चित्त, 4. प्राणों का लुटेरा, 5. रहस्योदघाटक, भेद खोलने वाली, 6. कथोपकथन, वार्तालाप, 7. दृष्टि को गरमाने वाले रंगीन दृश्य, 8. कुछ गुप्त संकेतों के अतिरिक्त, 9. प्रिय की उदासीनता का आदी, 10. दुनिया वालों की उपेक्षा

☆☆

ये शेरो-नग़्मा इबारत[1] हैं आपके दम से
मगर ज़माना कि मन्सूब[2] हो गये हम से

वो इक निगाह की तासीर[3] मुद्दतों दिल पर
कि आरज़ू-ए-मुहब्बत[4] न हो सकी हम से

किसी भी शोबा-ए-आलम[5] में कामयाब नहीं
वो दिल जो रब्त न रखे मिज़ाजे-आलम से[6]

उधर भी सिर्फ़ तकल्लुफ़[7] से, अहतियात[8] से काम
इधर भी अर्ज़े-तमन्ना[9] के तौर मुब्हम[10] से

हर एक बात पे अहले-नज़र की राय न माँग
जो लोग अहले-नज़र हैं जुदा नहीं हम से

अभी न पूछ कि अंजामे-आरज़ू[11] क्या है
गुज़र रहा हूँ अभी आरज़ू के आलम से[12]

नहीं कि मुझको नहीं ताबे-ग़म[13] मगर 'आली'
डरा हुआ हूँ अभी अजनबीय्यते-ग़म से[14]

---

1. लेखन, 2. सम्बद्ध, 3. प्रभाव, 4. प्रेम की कामना, 5. सृष्टि का हिस्सा, 6. दुनिया के स्वभाव से, 7. औपचारिकता, 8. सतर्कता, 9. प्रेम-प्रगटन, 10. अस्पष्ट, 11. प्रेम का परिणाम, 12. कामना की मनोदशा से, 13. दुख सहने की सामर्थ्य, 14. दुखों के अजनबीपन से

☆☆

कुछ न ख़िरद, न कुछ जुनूँ अहले-जमाल के हुज़ूर[1]
सिर्फ़ नज़र का साथ हो और नज़र भी क्या ज़रूर

हाए ये चश्मे-बेनज़र[2], हाए ये शौक़े-बेहुज़ूर[3]
हम तेरी अंजुमन में हैं और तेरी अंजुमन से दूर

ऐसा तो हाल हो गया और न जाने क्या करे
ज़हर की एक बूँद जो फैल गई है दूर-दूर

अब नहीं बचपने का साथ और न बराबरी की बात
क्या हैं ये सब मुआमलात मुझको नहीं हुआ शऊर[4]

अपने ही इज़्तिराब[5] ने लूट ली अपनी काइनात[6]
इसमें किसी का क्या गिला, इसमें किसी का क्या क़ुसूर

---

1. सुन्दर व्यक्तियों के समक्ष, 2. बिना आँख की दृष्टि, 3. अनुपस्थित के प्रति प्रेम-भाव, 4. बोध, ज्ञान, 5. व्याकुलता, छटपटाहट, 6. सृष्टि, दुनिया,

☆☆

उम्र भर का याद है बस एक अफ़साना मुझे
मैंने पहचाना जिसे, उसने न पहचाना मुझे

अंजुमन की अंजुमन मुझसे मुख़ातिब[1] हो गई
आपने देखा था शायद बेनियाज़ाना[2] मुझे

पहले दीवाना कहा करते थे लेकिन आजकल
लोग कहते हैं सरापा[3] तेरा अफ़साना मुझे

गाहे-गाहे[4] ज़िक्र कर लेने से क्या याद आयेगा
याद ही रखना मुझे या भूल ही जाना मुझे

ख़्वाब ही देखा है लेकिन हाए किस लज़्ज़त का ख़्वाब
वो मिरे घर तेरा आना और बहलाना मुझे

---

1. संबोधित, 2. उपेक्षा-भाव से, 3. साक्षात-साकार, 4. कभी-कभी

☆☆

न हो, जो क़द्र मिरी बज़्मे-दोस्ताँ[1] में नहीं
मैं आप जान रहा हूँ मैं इस जहाँ में नहीं

हर एक बू-ए-बहारी[2] पे दम उलझता है
कि जैसे और भी कुछ है जो गुलिस्ताँ में नहीं

बसाने वाले के जाने बग़ैर पैदा हैं
मकीं[3] में वसुअतें[4] इतनी कि जो मकाँ[5] में नहीं

हर इक हुबाब[6] ब-शक्ले-सदफ़[7] है रक़्स कुनाँ[8]
और इक गुहर[9] भी तो इस बह्रे-बेकराँ[10] में नहीं

वो हर निगाह पे हँस कर किसी का कह देना
कि ये निगाह तो शामिल ही इम्तिहाँ में नहीं

वजूद ही नहीं होगा असर का ऐ 'आली'
नहीं तो कौन-सी शोरिश[11] मिरी फ़ुग़ाँ[12] में नहीं

---

1. मित्रों की सभा, 2. वसन्त ऋतु की महक, 3. निवासी, मकान में रहने वाले लोग, 4. व्यापकताएँ, 5. मकान, 6. बुलबुला, 7. सीप की तरह, 8. नाचता हुआ, 9. मोती, 10. अथाह-असीम सागर, 11. कोलाहल, 12. आर्तनाद, विलाप

☆☆

रंगीनी-ओ-फ़रेबे-नज़र[1] देखता चलूँ
क्या जलवा-ओ-जमाल[2], मगर देखता चलूँ

बिखरे हुए हैं राह में ग़महा-ए-रोज़गार[3]
कहिये तो उनको एक नज़र देखता चलूँ

वो चेहरा ज़र्द[4] है मगर ऐ गर्मी-ए-फ़ुग़ाँ[5]
कुछ और भी निशाने-असर[6] देखता चलूँ

उसने किया जो शम्अ का रुख़ बेसबब[7] न था
मक़सद ये था कि रक़्से-शरर[8] देखता चलूँ

'आली' कोई मुक़ामे-तमन्ना[9] नहीं मगर
कुछ देर उनकी राहगुज़र[10] देखता चलूँ

---

1. नज़र का धोखा और रंगीनी, 2. हाव-भाव तथा सौन्दर्य, 3. दुनिया के दुख, 4. पीत-वर्ण, पीला, 5. विलाप की तपिश, 6. प्रभाव-चिह्न, 7. अकारण, 8. चिंगारी का नृत्य, 9. प्रेम की स्थिति, 10. राह, मार्ग

☆☆

हाले-ग़मे-फ़िराक़[1] सुनाया न जायेगा
उनको उन्हीं के सामने लाया न जायेगा

ये पर्दा-दारियाँ ही रहेंगी तो एक दिन
मुझसे भी तेरे सामने आया न जायेगा

उम्मीदे-इम्तियाज़[2] तो क्या हो वहाँ मगर
ये भी गुमाँ न था कि बुलाया न जायेगा

ऐ बेबसी-ए-शौक़[3] ये ताख़ीर[4] किसलिये
क्या ज़हर उनका ग़म है जो खाया न जायेगा

दिल पर तो है उन्हीं की नज़र ऐ हुजूमे-ग़म[5]
आँसू भी बन गया तो बहाया न जायेगा

फिर भी यूँ ही रहेगा शबो-रोज़[6] का शुमार
तुम आये भी तो वक़्त का साया न जायेगा

'आली' यूँ ही ख़राब रखेगी शबे-हयात[7]
जब तक कोई चराग़ जलाया न जायेगा

---

1. विरह के दुख का हाल, 2. ख़ास उम्मीद, 3. ऐ प्रेम की विवशता, 4. विलम्ब, देरी, 5. ऐ दुखों के समूह, 6. रात-दिन, 7. जीवन रूपी रात्रि

☆☆

इस तरह तो न सुनो शिकवा-ए-बेजा[1] मुझसे
छीने लेते हो हर इक ग़म का मुदावा[2] मुझसे

जाने क्यों इक दरो-दीवार[3] का पाबन्द हुआ
मैं कि मन्सूब[4] किये जाते थे सहरा[5] मुझसे

इस ज़माने में कि उश्शाक़ भी हैं अहले-ग़रज़[6]
ज़िंदा हो जायेगी तौक़ीरे-तमन्ना[7] मुझसे

आज क्यों, आप तो उस वक़्त तवज्जोह[8] फ़रमायें
जब न हो शिद्दते-आलाम[9] गवारा मुझसे

याँ[10] तो इस देस में रहते हुए डर लगता है
आप करते हैं मुहब्बत का तक़ाज़ा मुझसे

---

1. अनुचित शिकायत, 2. इलाज, उपचार, 3. दरवाज़ा तथा दीवारें अर्थात् चारदीवारी, 4. सम्बद्ध, 5. अरण्य, जंगल, 6. स्वार्थी, 7. प्रेम-प्रतिष्ठा, 8. कृपा-दृष्टि, 9. दुखों की तीव्रता, 10. यहाँ

☆☆

मकीं[1] हूँ और हदूदे-मकाँ[2] नहीं मालूम
सुनाने बैठ गया दास्ताँ नहीं मालूम

दिले-हज़ीं[3] को करम[4] की उम्मीद करने दे
अभी इसे तिरी मजबूरियाँ नहीं मालूम

गुज़र रही है बस इक सोज़ो-कर्बे-पैहम में[5]
कहाँ जला था मिरा आशियाँ[6] नहीं मालूम

सुकूँ से मुन्तज़िरे-इम्तियाज़[7] है अब तक
मिरी जबीं[8] को तिरा आस्ताँ[9] नहीं मालूम

किसी को उनका पता क्या बतायें, ऐ 'आली'
हमें तो आप ही अपना निशाँ[10] नहीं मालूम

---

1. मकान में रहने वाला, 2. मकान की सीमाएँ, 3. पीड़ित व क्लान्त हृदय, 4. कृपा, 5. निरन्तर पीड़ा तथा संताप में, 6. घोंसला, घर, 7. विशेष रूप से प्रतीक्षारत, 8. मस्तक, 9. द्वार, दहलीज़, 10. पता

☆☆

नज़र-नज़र है, वो कितनी वफ़ा-शिआर[1] सही
उन्हें भी देख लिया बेख़ुदी[2] हज़ार सही

तमाम रूहे-यक़ीं[3] है सुपुर्दगी दिल की[4]
कोई फ़रेब तो दीजे, वो एतिबार सही

अगर जुनूँ रविशे-आम[5] हो गया, ऐ दिल
तो एक शौक़ बान्दाज़ा-ए-बहार[6] सही

कोई जवाब भी होगा मिरी मुहब्बत का
अरे कुछ और नहीं है तो इन्तिज़ार सही

यही कि सब हो उठे तुझसे नाउम्मीद मगर
तिरी ख़ुशी है तो हम भी उम्मीदवार सही

---

1. प्रेम निभानेवाला, 2. विस्मृति, 3. विश्वास का सार, 4. हृदय के हवाले, 5. सामान्य कार्य, 6. वसंत ऋतु की तरह का शौक़ अर्थात वर्ष में एक-आध बार का मन-बहलाव

☆☆

जब मुहब्बत नसीब होती है
दिल की हालत अजीब होती है

फ़ितरते-आशिक़ी[1] को क्या कहिए
आप अपनी रक़ीब[2] होती है

दिल में रख लूँ तिरी निगाहे-सितम[3]
ये भी कब-कब नसीब होती है

रात ही ख़ुश गुज़ार जा, ऐ दिल
सुब्ह किसको नसीब होती है

जब हो आँखों से दूर वो सूरत
दिल से कितनी क़रीब होती है

आम है रस्मे-इश्क़[4], ऐ 'आली'
फिर भी कितनी अजीब होती है

---

1. प्रेम-प्रकृति, 2. प्रतिस्पर्द्धी, 3. अन्याय की दृष्टि, 4. प्रेम की रीति

☆☆

मफ़्हूमे-नज्दो-महमिलो-लैला[1] ही और है
मैं जिसमें सरगिराँ[2] हूँ वो सहरा ही और है

यूँ भी वो महरो-माह[3] से कुछ कम नहीं मगर
मेरी नज़र में उनका सरापा[4] ही और है

जामादरी[5] भी रस्म है फ़स्ले-बहार[6] में
लेकिन मिरे जुनूँ का तक़ाज़ा ही और है

रह जाये जिसमें दब के हरइक शिकवा-ए-बजा[7]
वो लज़्ज़ते-शिकायते-बेजा[8] ही और है

'आली' ये हमरहाने-तमन्ना[9] को क्या ख़बर
जो दिल पे है वो नक़्शे-तमन्ना[10] ही और है

1. नज्द, महमिल तथा लैला का अर्थ, (नज्द : ऊँची पहाड़ी : महफिल : ऊँट की पीठ पर बाँधने का कजावा जिसमें स्त्रियाँ बैठती है, लैला : मजनूँ की प्रेमिका जो कि महमिल में बैठकर नज्द पर से गुज़रती थी), 2. अप्रसन्न, 3. सूरज तथा चन्द्रमा, 4. सर से पाँव तक अर्थात सम्पूर्ण शरीर, 5. पहने हुए वस्त्रों को फाड़ना अर्थात उन्मादावस्था, 6. वसन्त-काल, 7. उचित शिकायत, 8. अनुचित शिकायत का आनन्द, 9. प्रेम के मार्ग में साथ-साथ चलने वाले, 10. प्रेम-चिह्न

☆☆

कहाँ हैं, आयें सैरे-जज़्बे-कामिल[1] देखने वाले
कि ख़ुद लैला बने जाते हैं, महमिल देखने वाले[2]

उसी इक शौक़ को मंज़िल-ब-मंज़िल[3] देखने वाले
अब अपनी बज़्म में आ, उनकी महफ़िल देखने वाले

वही शोले यहाँ उरियाँ[4], वही शोले वहाँ पिन्हाँ[5]
ज़रा अपना भी दिल देखें मिरा दिल देखने वाले

ब-हर ख़ुद्दारी-ओ-हर बेनियाज़ी[6], क्या तमाशा है
इसी महफ़िल में हैं अंदाज़े-महफ़िल[7] देखने वाले

हमें तो दिल ने जिस रह पर[8] चलाया उसपे चल निकले
न हम हक़[9] देखने वाले, न बातिल[10] देखने वाले

ख़ुदा रखे उसे, उम्मीद भी क्या चीज़ है 'आली'
चले ही जा रहे हैं ख़्वाबे-मंज़िल[11] देखने वाले

---

1. मनोभाव की पूर्णता का तमाशा, 2. मजनूँ, 3. हर मंज़िल पर, हर जगह, 4. आवरण-रहित, नग्न, 5. छुपे हुए, गुप्त, 6. प्रत्येक स्वाभिमान तथा उपेक्षा के साथ 7. महफ़िल की सभी गतिविधियाँ, 8. राह पर, 9. सत्य, 10. असत्य, 11. लक्ष्य-प्राप्ति का स्वप्न

☆☆

ख़ुश्क अगर मेरी चश्मे-नम[1] हो जाये
आपकी बेरुख़ी[2] भी कम हो जाये

है यही शौक़ बरहमी[3] का सबब[4]
यूँ न चाहूँ तो ये करम[5] हो जाये

इल्तिफ़ात[6] उनका वजहे-ज़ीस्त[7] है अब
और अगर इल्तिफ़ात कम हो जाये

दिल में है, गो[8] ज़ुबाँ नहीं खुलती
काश, तुझको किसी का ग़म हो जाये

रो के भी देख लीजिए 'आली'
शायद इस तरह दर्द कम हो जाये

---

1. भीगी हुई आँख, 2. उपेक्षा, 3. नाराज़गी, 4. कारण, 5. कृपा, 6. प्रेम-भाव, 7. जीवन का आधार, 8. हालाँकि, यद्यपि

☆☆

हर सुकूँ में शोरिशे-आलाम[1] है मेरे लिये
तू नहीं तो गर्दिशे-अय्याम[2] है मेरे लिये

इश्क़ के हंगामा-ए-पैहम[3] से फ़ुर्सत ही नहीं
हर तरफ़ पैग़ाम ही पैग़ाम[4] है मेरे लिये

जुर्रते-यक गाम[5] से हर मरहले[6] पर चोट खाई
और अब तक जुर्रते-यक गाम है मेरे लिये

सिर्फ़ उम्मीदे-सहर[7] पर ही नहीं है ज़िन्दगी
तारे-शब[8] मेरा, सवादे-शाम[9] है मेरे लिये

हर नफ़स[10] पर दिल धड़कता है, ये कैसा दौर है
ज़िन्दगी की आरज़ू[11] इल्ज़ाम है मेरे लिये

---

1. दुखों का कोलाहल, 2. दिनों का चक्कर अर्थात् दुर्दिन, 3. स्थायी उपद्रव, 4. सन्देश, समाचार, 5. एक क़दम उठाने का साहस, 6.मंज़िल, मुक़ाम, अभीष्ट स्थल, 7. सुबह की उम्मीद, 8. रात्रि का अंधकार, 9. सायंकाल की सुरमई धुँदलाहट, 10. श्वास, 11. कामना

☆☆

ये कुछ दिन से दीवानों की हालत जो संभलती जाती है
या मंज़िल नज़दीक आ पहुँची, या राह बदलती जाती है

तन्हाई में आमेज़िशे-ग़म[1] वहशत[2] से बदलती जाती है
इक शम्अ-ए-तमन्ना[3] बाक़ी थी सो वो भी पिघलती जाती है

हम बाख़बरी[4] और बेख़बरी[5], हर आलम[6] से ऐसे गुज़रे
जैसे ये तेरी ही याद है जो उनूवान[7] बदलती जाती है

हमने ही ख़िज़ाँओं में अकसर की ताज़ा तिरे आने की ख़बर
ऐ बादे-सहर[8], ऐ बादे-सहर, क्यों हमको मसलती जाती है

'आली' की तबाही का बाइस[9] कुछ और नहीं वो ख़ुद ही है
इक कोयल है जो अपनी ही आवाज़ से जलती जाती है

---

1. ग़म की उपाधि, 2. भय, त्रास, 3. अभिलाषा रूपी मोमबत्ती, 4. सतर्कता, 5. आत्म-विस्मृति, 6. मनोदशा, 7. शीर्षक, 8. प्रातःकालीन शीतल पवन, 9. कारण

☆☆

बयाने-दर्दे-मुहब्बत[1] जो बार-बार न हो
कोई नक़ाब तिरे रुख़[2] की पर्दा-दार न हो

सलामे-शौक़[3] की जुर्रत[4] से दिल लरज़ता है[5]
कहीं मिज़ाजे-गिरामी[6] पे ये भी बार[7] न हो

करम[8] पे आयें तो हर-हर अदा में इश्क़ ही इश्क़
न हो तो उनका तग़ाफ़ुल[9] भी आशकार[10] न हो

यही ख़याल रहा पत्थरों की बारिश में
कहीं उन्हीं में कोई संगे-कू-ए-यार[11] न हो

अभी है आस कि आख़िर कभी तो आएगा
वो एक लम्हा कि जब तेरा इन्तिज़ार न हो

बहुत फ़रेब समझता हूँ फिर भी ऐ 'आली'
मैं क्या करूँ अगर उन पर भी एतिबार न हो

---

1. प्रेम-पीड़ा की अभिव्यक्ति, 2. चेहरा, 3. प्रेम का सलाम, 4. साहस, 5. काँपता है, 6. प्रिय अथवा पूजनीय व्यक्ति का मिज़ाज, 7. भार, 8. कृपा, 9. उपेक्षा-भाव, 10. व्यक्त, 11. प्रिय की गली का पत्थर।

☆☆

अब ये कैफ़ियते-दिल[1] है कि छुपाये न बने
और जो वो पूछें कि क्या है तो बताये न बने

तुमको आज़ुर्दगी-ए-दिल[2] का मज़ा क्या मालूम
काश, तुमसे भी कोई काम बनाये न बने

तूने क्यों उनको ग़मे-ज़ीस्त[3] दिया है यारब[4]
जिनसे इक रंजे-मुहब्बत[5] भी उठाये न बने

हाए क्या पासे-मुहब्बत[6] है कि तन्हाई में भी
अश्क आँखों में रहे और बहाये न बने

हमनशीं[7] पूछ न उस बज़्म की रस्में कि जहाँ
मुझ-से वहशी को भी बिन होश में आये न बने

वक़्त की चारागरी[8] यूँ तो मुसल्लम[9] है मगर
ज़ख़्म भी वो है कि ताउम्र[10] दबाये न बने

ये भी इक रस्मे-तमाशा है[11] वहाँ ऐ 'आली'
देखते रहिए मगर आँख उठाये न बने

---

1. दिल की हालत, 2. हृदय की खिन्नता, उदासी, 3. जीवन भर का दुख, 4. हे ईश्वर, 5. प्रेम-पीड़ा, 6. प्रेम का लिहाज़, 7. साथी, मित्र, 8. चिकित्सा, 9. सर्वमान्य, 10. जीवन भर, 11. तमाशा देखने का नियम

☆☆

वो हौसले भी नहीं, वो जवानियाँ भी नहीं
ज़ुबाने-शौक़[1] पे वो लनतरानियाँ[2] भी नहीं

उधर वो हुक्मो-हिदायत[3] की शान भी न रही
इधर जवाब में वो बेज़ुबानियाँ भी नहीं

वो वाक़िआत[4] जिन्हें ख़ूने-दिल से[5] लिखते थे
वो क्या हुए कि अब उनकी कहानियाँ भी नहीं

हज़ार दाग़ कि ज़ख़्मों की शान रखते थे
मिटे हैं यूँ कि अब उनकी निशानियाँ भी नहीं

है अब भी उनसे तअल्लुक़[6], सो क्या तअल्लुक़ है
कि हसरतें तो कुजा[7] बदगुमानियाँ[8] भी नहीं

---

1. प्रेम की जिह्वा, 2. डींगे हाँकना, शेखी बघारना, 3. आदेश तथा निर्देश, 4. घटनाएँ, 5.दिल के लहू से, 6. सम्बन्ध, 7. कहाँ, 8. भ्रांतियाँ

☆☆

दिले-आशुफ़्ता[1] पे इल्ज़ाम कई याद आए
जब तिरा ज़िक्र छिड़ा नाम कई याद आए

तुझसे छुट कर भी गुज़रनी थी सो गुज़री लेकिन
लम्हा-लम्हा सहरो-शाम[2] कई याद आए

हाए नौ-उम्र अदीबों[3] का ये अंदाज़े-बयाँ[4]
अपने मक्तूब[5] तिरे नाम कई याद आए

आज तक मिल न सका अपनी तबाही का सुराग़
यूँ तिरे नामा-ओ-पैग़ाम[6] कई याद आए

कुछ न था याद बजुज़ कारे-मुहब्बत[7] इक उम्र
वो जो बिगड़ा है तो अब काम कई याद आए

अपनी तख़्सीस[8] पे ख़ुश हूँ मगर इस वक़्त मुझे
कुश्तगाने-सितमे-आम[9] कई याद आए

ख़ुद जो लब-तिश्ना[10] थे जब तक तो कोई याद न था
प्यास बुझते ही तिही[11] जाम कई याद आए

किस क़दर सादा-ओ-बेबाक[12] है 'आली' कि हमें
उस पे लगते हैं जो इल्ज़ाम कई याद आए

---

1. व्याकुल हृदय, 2. सुबह तथा शाम, 3. नवयुवक साहित्यकारों, 4. अभिव्यक्ति की शैली, 5. लेख इत्यादि, 6. पत्र तथा सन्देश, 7. प्रेम-कार्य के अतिरिक्त, 8. विशेषता, 9. सामान्य जनों पर हुए अन्याय-अत्याचार के शिकार, 10. अतृप्त, 11. ख़ाली, रिक्त, 12. निर्मल-हृदय तथा निडर

☆☆

ख़ुशा[1] कि आज फिर उस आरज़ू[2] की याद आई
उसी तलाश, उसी जुस्तजू[3] की याद आई

बसद मआनी-ए-ताज़ा[4] बसद मतालबे-नौ[5]
हर इक ख़मोशी-ओ-हर गुफ़्तगू[6] की याद आई

न थी ख़याल में वजहे-शिकस्तगी-ए-क़बा[7]
हर एक चाक[8] की, हर इक रफ़ू की याद आई

हम अपनी तेज़-मिज़ाजी[9] पे आप हैराँ थे
मसाइबे-दिले-बेआबरू[10] की याद आई

लबों का रंग सियह[11] था, बग़ैर तिश्नालबी[12]
सो आज फिर तिरे जामो-सुबू[13] की याद आई

छुटा है ज़हन[16] से कितनी कसाफ़तों[15] का गुबार
तिरे चमन की, तिरे रंगो-बू[16] की याद आई

---

1. शुभ-समाचार, 2. कामना, 3. खोज, 4. सैकड़ों नवीन अर्थ लिए हुए, 5. सैंकड़ों नवीन भावार्थ लिए हुए, 6. प्रत्येक मौन तथा प्रत्येक बातचीत, 7. वस्त्रों के विदीर्ण होने का कारण, 8. फटन, वस्त्रादि के फटने का भाव, 9. बात-बात पर बिगड़ जाने की प्रकृति, ग़ुस्सैल प्रकृति, 10. तिरस्कृत तथा अपमानित हृदय की मुसीबतें, 11. काला, 12. प्यास, 13. मदिरा-पान का प्याला तथा घड़ा, 14. मस्तिष्क, 15. मलिनता, 16. रंग तथा सुगन्धि।

दोहे

''जदीद अहद (आधुनिक-काल) में दोहे लिखने की रिवायत (परम्परा) 'आली' की मरहूने-मिन्नत (आभारी) है। अगरचे उनकी तक़लीद (अनुकरण) में बहुत सों ने इस ज़रिया-ए-इज़हार (अभिव्यक्ति का माध्यम) को अपनाया है। लेकिन दोहा हर्फ़-दर-हर्फ़ (शब्दशः) 'आली' ही से मख़्सूस होकर रह गया है और इस सिन्फ़ (काव्य-विधा) का हक़ वही अदा कर पाए हैं।''

मुशफ़्फ़िक़ ख़्वाजा

''आली के उर्दू दोहों को जो शरफ़े-क़ुबूलियत (स्वीकृति का सम्मान) हासिल हुआ उसकी मिसाल दौरे-जदीद (आधुनिक-काल) के किसी उर्दू-शायर के यहाँ नहीं मिलती।''

डॉ. शमीउल्लाह अशरफ़ी

☆☆

दोहे कब तक कह कर 'आली' मन की आग बुझाये
मन की आग बुझी न किसी से, उसे ये कौन बताये

उम्र गँवा कर पीत में हमको इतनी हुई पहचान
चढ़ी नदी और उतर गई पर घर हो गए वीरान

एक तो ये घनघोर बदरिया, फिर बिरहा की मार
बूँद पड़े है बदन पे ऐसे, जैसे लगे कटार

किधर हैं वो मतवारे नैना, किधर हैं वो रतनार
नस-नस खिंचे है तन की जैसे मदिरा करे उतार

साजन हमसे मिले भी लेकिन ऐसे मिले कि हाए
जैसे सूखे खेत से बादल बिन बरसे उड़ जाए

जनम-मरण का साथ था जिनका उन्हें भी हमसे बैर
वापिस ले चल अब तो 'आली' हो गई जग की सैर

छोटे-बड़ों के संगम का सब देख लिया अंजाम
पाट बढ़ाया जमुना ने, पर है गंगा का नाम

ना मिरे सर कोई तुर्रा-कलग़ी, ना कीसे में छदाम
साथ में है इक नारी साँवरी, और अल्ला का नाम

आप बना बंजारा मैं और आप बनाई बाट
सच कहियो रे देखने वाले, ऐसे किसके ठाट

बीते दिनों की याद है कैसी नागिन की फुँकार
पहला वार है ज़हर भरा और दूजा अमृत-धार

ठंडी चाँदनी उजला बिस्तर, भीगी-भीगी रैन
सब कुछ है पर वो नहीं जिसको तरस गए मिरे नैन

अपने ही मन का रोना क्या हर मन में लगी है आग
साजन मिल कर जुदा न हों, ऐ सखी, ये किसके भाग

टहल-टहल कर अब तो देखी जाए न उनकी बाट
चल रे 'आली' द्वार के बाहर डालें अपनी खाट

नींद को रोकना मुश्किल था पर जाग के काटी रात
सोते में आ जाते वो तो नीची होती बात

रूप भरा मिरे सपनों ने या आया मेरा मीत
आज की चाँदनी ऐसी जिसकी किरन-किरन संगीत

कहो चन्द्रमा, आज किधर से आए हो ज्योत बढ़ाये
मैं जानूँ, कहीं रस्ते में मेरी नारी को देख आये

मीठी-मीठी कसक थी दिल में ना कोई दुख ना सोग
दो ही दिन के बाद मगर ये प्रीत तो बन गई रोग

ना तिरी ऐसी बाली उमरिया, ना ऐसी नादान
पर जब हम कोई बात कहें तो बने यूँ ही अनजान

चाल पे तेरी गज झूमें और नैना मिरिग रिझाये
पर गोरी वो रूप ही क्या जो अपने काम न आये

घनी घनी ये पलकें तेरी, ये गरमाता रूप
तू ही बता, ऐ नार मैं तुझको छाँव कहूँ या धूप

'आली' अब के कठिन पड़ा दीवाली का त्यौहार
हम तो गए थे छैला बनकर, भैया कह गई नार

ये हर सुन्दर नार को तकना, ये झुक-झुक परनाम
'आली' तू तो ज्ञानी-ध्यानी, यहाँ तिरा क्या काम

दिखा तो आख़िर चोली से क्या चीज़ ये उभरी आये
गौरी हम तो चुँगी-बाबू, हमसे क्यों शरमाये

ये गदराया बदन तिरा, ये जोबन-रस, ये चाल
अरी मराठन, हम परदेसी, सुन तो हमारा हाल

खाटन यूँ जजमान समझ कर हमसे ना कतराये
पिया के जो मन भाये बावरी वही रानी कहलाये

हर इक बात में डाले है हिन्दू-मुस्लिम की बात
ये ना जाने अक्खड़ गौरी, प्रेम है ख़ुद इक ज़ात

दो अँधियारों में कल 'आली' बन गई अपनी बात
एक तरफ़ थी दकनी अबला, एक तरफ़ थी रात

हैदराबाद का मुल्क जो देखा था अंगरेज़ का नोट
जब तक साथ रहे चाँदी है, परख लिया तो खोट

हैदराबाद का शहर था भैया, इन्दर का दरबार
एक-एक घर में सौ-सौ कमरे, हर कमरे में नार

घाटन नरम बदन की जैसे दूध और शहद की धार
धीड़न सख़्त बदन की जिस पर कुन्द पड़े तलवार

किस-किस ऊँचे घर की एक से एक नवेली नार
'आली' तू ख़ुद किस घर का है चुप भी रह अब यार

गए तिलँगाने भी 'आली' देखे वाँ के ढंग
तन पापी तो यूँ ही रहा, पर मन हुआ उनके संग

वाह तिलँगाने की माँयें जनें जो ऐसे लाल
जो अन्दर से हीरे-मोती, बाहर से कंगाल

अपना तो जीवन है 'आली' साधु का व्यवहार
हम में ऐसे ढंग कहाँ जो करते देश-सुधार

हमको हैदराबाद न भाया, था जो रूप-अनूप
अन्दर कितनी कालिक थी और बाहर कितनी धूप

बम्बई शहर जो पहुँचे 'आली' आँखें थी हैरान
कितनी चौड़ी-चौड़ी सड़कें, कितने ऊँचे मकान

शहर के अन्दर रेल चले और हर पल इक तैयार
भाई को भाई नहीं पहचाने, घड़ी तके हर बार

बम्बई, पूना, हैदराबाद, न आए हमको रास
पेट को भरकर क्या कीजे, जब मन ही रहे उदास

वाँ वो नैन कँवल मुरझाये, सूख गया याँ हाड़
भूख की गरमी सबको भूने, नद्दी हो कि पहाड़

मैंने कहा, कभी सपनों में भी शक्ल न मुझको दिखाई
उसने कहा, भला मुझ बिन तुझको नींद ही कैसे आई

क्या जाने ये पेट की आग भी क्या क्या और जलाये
'आली' जैसे महाकवि भी 'बाबूजी' कहलाये

ऐ भैयन, ये बाबूगीरी क्या-क्या खेल खिलाए
यूँ तनख़्वाह की राह तकें कि सजनी याद आ जाए

रोटी जिसकी भीनी ख़ुशबू बुने हजारों राग
नहीं मिले तो तन जल जाये, मिले तो जीवन आग

झनन-झनन ख़ुद बाजे मजीरा, आप मुरलिया गाए
हाए, ये क्या संगीत है जोबन-गायक उभरा जाए

एक ही धुन यूँ थर्राई है सोते दुख गए जाग
एक ही लय यूँ लहराई है जैसे नाचे नाग

धुँदली-धुँदली कुहर के पीछे किरनों की झँकार
उथला जल और गहरी काई, नाचें हार-सिंगार

एक-एक ताल खुरच ले मन को, इक-इक सुर पर प्यास
इक-इक मुरकी बदन जलाए, जैसे आग पे घास

गत में चन्दन-बास का झोंका, तोड़ में कुन्दन रूप
नीचे सुर में छाँव भरी है, ऊँचे सुर में धूप

सात सुरों के सात सितारे, सात ही जिनके रंग
सब झलकें इक सरगम में पर अपने-अपने ढंग

जा कोई कह दे 'आली' से बस गाये जी बहलाये
जो संगीत का भेद कुरेदे, ख़ुद बेसुर हो जाये

○

'आली' जी इक कवि रसीले, धनक से जिनको प्यार
पहुँच गए इक गाँव कभी, जो धनक के है उस पार

देखा वाँ इक ताज सजल, जहाँ गैया कोई न जाये
गैया से सरकार का बजरा मैला न हो जाये

गाँव की सबसे सुन्दर अबला मार गए सरकार
गाँव की नम्बर अव्वल गैया ले गए थानेदार

भूखी आँख से बिटिया देखे, ख़ाली पेट हो बाप
सावित्री माँ, बेटी लाज से, रोज़ कराये पाप

आल्हा-ऊदल गाने वाले प्यादे से कतरायें
हल का बोझ उठाने वाले डंडे से दब जायें

खेत कटा तो ले गए ठाकुर, मुँशी, साहूकार
घर पहुँचे तो भूखी बहू इक बरछी-सी दे मार

खेती सोना-चाँदी उगले, घर में पहुँचे रोग
प्यासी आग अँगार चबाए, बनिये उड़ाएँ भोग

'आली' ने इक लिया मंजीरा और छेड़ा ये राग
जिसका खोज लगा पच्छिम में पर जो सबकी आग

ऐ भैयन, ये खेत हमारे हमीं में से सरकार
ऐ भैयन, हम एक ही नद्दी वही जल और वही धार

ऐ भैयन, इस धरती माँ की कोख में सबका नाज
ऐ भैयन, इस धरती माँ पर एक करे क्यों राज

ऐ भैयन, ये तेरी बाँहें जैसे लोहा लाट
ऐ भैयन, ये तेरी बाँहें सबको कराएँ ठाट

ऐ भैयन, तिरा झुलसा चेहरा, उनके रंग बढ़ाए
ऐ भैयन, तिरी अपनी औरत दूजे के घर जाए

किस-किस माँ की कोख जले किस-किस दुल्हन का सुहाग
एक पुरानी चिंगारी से कब तक जलेगी आग

ऐ भैयन, हम बन्दी चाकर और ठाकर महाराज
ऐ भैयन, हम आग चबाएँ, ये खाएँ कई नाज

छोटे इक दूजे को जलाएँ, बनते जाएँ राख
बनिये तापें हाथ मज़े से, और बढ़ाएँ साख

हम सब उसके प्रेम-पुजारी, हम सब उसके दास
पर ये क्या अन्याय कि भगवन हैं बनिये के पास

ऐ भैयन, वो देख समय ने अपनी तान लगाई
ऐ भैयन, वो हुआ सवेरा नई किरन लहराई

इक दूजे का हाथ पकड़ लो और आवाज़ लगाओ
ऐ अँधियारो, सूरज आया, सूरज आया, जाओ

☆☆

बाबू-गीरी करते हो गए 'आली' को दो साल
मुरझाया वो फूल-सा चेहरा, भूरे पड़ गए बाल

धीरे-धीरे कमर की सख़्ती, कुर्सी ने ली चाट
चुपके-चुपके मन की शक्ती अफ़सर ने दी काट

धरती से आकाश पहुँचते धनक ने क्या बल खाए
कोई देखे, कोई सोचे, मन सबका लहराए

ना कोई उससे भाग सके और ना कोई उसको पाए
आप ही घाव लगाए समय और आप ही भरने आए

☆☆

सुनो-सुनो ये बालक मेरा यूँ ही ना चिल्लाए
कहवे है इस बन्दी घर में काहे मुझे ले आए

आत्मा जैसी बाँकी तितली जब बन जाए शरीर
और न जाने अब जीवन की क्या-क्या हो तासीर

ऐ बालक, इस चक्कर को परमात्मा ख़ुद भी रोए
जीवन की तो ज़ात ही काली, कौन सियाही धोए

ऐ बालक, इस जग में रखियो आँधी जैसे ठाट
नीचे पौधे ऊँचे कीजो, ऊँचे दीजो काट

ऐ बालक तू जुग-जुग जीवे रखियो याद ये बोल
जीवन के अँधियारे में है दुख ही सुख का मोल

ऐ बालक, सब धोखा है वो न्याय हो या अन्याय
पर वो धोखा कभी न दीजो, जो तू आप न खाय

☆☆

'आली' जी इक दोस्त हैं अपने, जिनका है ये काम
जीवन भर निर्दोष रहें और जीवन भर बदनाम

कोई कहे ये लिए फिरे है रोज़ नई इक नार
कोई कहे ये बड़ा सुखी है इसके हज़ारों यार

कोई कहे ये फुलवारी है, कोई कहे वीरान
कोई कहे ये बगुला भगत है, कोई कहे गुणवान

कोई कहे ये राजकवि है सूरज इसकी रास
कोई कहे ये सूखा फूल है इसमें रंग न बास

कोई कहे इसे जीवन-साथी, कोई कहे जंजाल
कोई कहे इसे उथला पानी, कोई कहे पाताल

किसको ख़बर ये हँसमुख 'आली' क्या-क्या छुप कर रोए
जैसा साथी मन ढूँढ़े था वैसा मिला न कोए

कौन है जिससे मिले बिना भी उसी का हरदम ध्यान
कौन है जिसके बदन की दूरी, खेंच रही है जान

कौन है जिसकी याद ही से मिरी नस-नस में है आग
कौन है जिसके ध्यान से ही हर पवन-झकोरा राग

कौन है जिसकी आँख का मोती मेरी आँख में ओस
कौन है जिसकी ख़ुशबू मेरे साथ हज़ारों कोस

ढूँढ लो मेरी नारी को, है उसकी इक पहचान
चुटकी लो तो पिघल बहे और पूजो तो भगवान

जिनके पाँव की मिट्टी सोना, जिनकी नज़र तलवार
'आली' जैसे भूखे-बाँके चाहें उनसे प्यार

शहर में चर्चा आम हुआ है, साथ थे हम इक शाम
मुझे भी जानें, तुझे भी जानें, लोग करें बदनाम

प्यार करूँ तो बात कटे और बात में जाए प्यार
हाए री बावरी अबला होते तेरे होंट हज़ार

हर इक नार ये पूछे उससे कौन थी पहली नार
'आली' किस-किस से क्या कहवे, प्रेम बना ब्योपार

जाड़ा आया ठंडी हवाएँ मन सबके बरमाएँ
कितने दर्द की बात है गौरी, हम तुझे याद न आएँ

'आली' से ही मान करे है 'आली' से ही प्यार
बावरे-बावरे नैनों वाली, है कितनी हुशियार

मोती कूट के माँग भरूँ, चंदन से धोऊँ तिरे बाल
हाए ये सुन्दर अंग अनोखा, हाए ये तेरी चाल

बिन कंगन, बिन चूड़ी बाँहे कुन्दन जैसा रंग
मन में क्या-क्या आती है जब हम हों तेरे संग

कोई कहे मुझे नानक-पंथी, कोई कबीर का दास
ये भी है मिरा मान बढ़ाना, है क्या मेरे पास

अकबर शाह ने राग सुना और हमने देखी यार
सिर्फ़ नज़र से आग लगाने वाली दीपक-नार

बोल हज़ारों रूप भरे पर धरम है मेरा प्रीत
ना मिरी बानी ग़ज़ल है प्यारे, ना दोहे, ना गीत

☆☆

एक बिदेसी नार की मोहनी सूरत हमको भाई
और वो पहली नार थी भैया जो निकली हरजाई

कैसे-कैसे वक़्त गुज़ारे हमने उसके संग
कैसे-कैसे नाच रहे और कैसे-कैसे रंग

मदिरा पी कर बहके गौरी, बहक-बहक लहराए
और अपना ये हाल कि जैसे नस-नस दिल बन जाए

उसका रम्बा-सम्मा-टंगो, अपने ठुमरी खमाच
क्या-क्या झटके, क्या-क्या लहरें, क्या गाने, क्या नाच

हम भी ताज़ा फूल से छैला, वो भी रूप बहार
लेकिन प्रेम से बढ़कर प्यारे, पैसे की है मार

☆☆

कोयटे गए थे कवीता पढ़ने, लेकर क्या-क्या जाल
बेगुन, बेधन वापिस आए, 'आली' ये क्या हाल

मिल गई कोई नार नई या कोई पुरानी मीत
आख़िर कैसे हार बनी ये जीवन भर की जीत

'आली जी' के मुँह पर मोहरें : इज़्ज़त, धर्म, समाज
ख़ैर इक दिन सब बात खुलेगी, लाख छुपाओ आज

○

ऊदा-ऊदा बादल गहरी काली घटा बन जाए
उसके धर्म में फ़र्क़ है जो इस मौसम को ठुकराए

ठंडे पवन झकोरे आएँ तेरी याद दिलाएँ
हम कुछ भी कहें, मन तुझे माँगे, मन को क्या समझाएँ

☆☆

नथिया गली का पाइन होटल स्वर्ग समान है यार
रंग-बिरंगे फूल के तख़्ते, रंग-बिरंगी नार

वाँ की कुँवारी जिसके इक-इक अंग में क्या-क्या लोच
जिस पर आँख का पल भर पड़ना, जीवन भर की सोच

बुर्क़ा-पोश पठानी, जिसकी लाज में सौ-सौ रूप
खुल के न देखी फिर भी देखी, हमने छाँव में धूप

बाप न होता साथ तो हम कह जाते मन का हाल
इक बल में दो पंछी फाँसे, प्रेम नहीं वो जाल

बीर-बहूटी रंगत वाली इक नारी अंगरेज़
बात में कितनी सँभली-सीधी, घात में कितनी तेज़

जर्मन की क्या ठोस जवानी, क्या रंगत, क्या हाड़
उसके बोझ से दिल फट जाए, चीज़ ही क्या है पहाड़

एक फ्राँसीसी अबला थी अलग-थलग चुपचाप
ऐसे प्यारे लोग दुखी हों, हाए रे ये क्या पाप

इक लाहौर की तीखी-बाँकी, पढ़ी-लिखी मग़रूर
शायर को आवारा कहवे, अफ़सर को मज़दूर

'आली' तेरा भेद है क्या, हर दोहे पर बल खाए
मैं जानूँ तिरे पापी मन को घर वाली याद आए

घर वाली जो सुखों की साथी, दुखों में तेरी दास
झूठा परखे सच्चा जाने, रखे तिरी ही आस

वो तिरे बच्चे पालने वाली, वो तिरे घर की लाज
क्या उसे भूल के मस्त हुआ है तुफ़ तुझ पर कविराज

☆☆

जीवन-बोझ बहुत भारी और बोझ के सौ-सौ ठाट
सामने है इक लम्बा मरघट जिसको कह दें बाट

ऊपर सूरज ख़ुद दहके, नीचे धरती दहकाए
फिर क्योंकर दम ले न मुसाफ़िर, छाँव जहाँ आ जाए

कैसे-कैसे दिये जले पर वही रहा अँधेर
बड़े-बड़े वही डोरी पकड़ें, छोटों के वही फेर

तह में भी है हाल वही जो तह के ऊपर हाल
मछली बचकर जाए कहाँ, जब जल ही सारा जाल

☆☆

लिए फिरें दुख अपने-अपने राजा, मीर, फ़क़ीर
कड़ियाँ लाख हैं रंग-बिरंगी, एक मगर ज़ंजीर

सुख बाँटे, दुख मोल लिए, जल बाँटा खाई आग
फिर भी कभी-कभी मन पापी डसे है बनकर नाग

☆☆

पूरब की अबला, दकन की अबला या पंजाब की नार
'आली' अपने मन पर सबके गहरे-गहरे वार

कोई भी सुन्दर नार किसी बदसूरत के घर जाए
न्याय कहो या लालच समझो मिरे मन को न भाए

क्या भ्रमर, क्या शरभ पयोधर, क्या खच्चप, क्या ब्याल
अपना छन्द अलग है जिसका नाम है 'आली' चाल

'सूर', 'कबीर', 'बिहारी', 'मीरा', 'रहिमन', 'तुलसीदास'
सबकी सेवा की पर 'आली' गई न मन की प्यास

उर्दू वाले, हिन्दी वाले, दोनों हँसी उड़ाएँ
हम दिल वाले अपनी भाषा किस-किसको समझाएँ

हमने पढ़ी हर देस की पुस्तक, देखे चारों वेद
चीन से लेकर लंदन तक है एक ही नायिका-भेद

मन के एक 'आली' बाबा के पीछे लाखों चोर
इन्हीं चोरों में मन यूँ घूमे जियूँ जंगल में मोर

किस-किस पर डोलेगा मनवा हर कोई छब दिखलाए
किस-किस को रोएँगी आँखें इक आए इक जाए

पहनें मूलसरी के कंठे, सूँघें सुर्ख़ गुलाब
पाकिस्तान में जो हों 'आली' दिल्ली में थे नवाब

एक ही मतलब 'आली' जी का, एक ही उनकी चाल
सूखे चुटियल राजस्थान से हरे-भरे बंगाल

काँटे चुनना, कलियाँ चुनना, चुनना ढाक और पात
क्या जाने कब कौन मिले, कब क्या आ जाए हाथ

'आली' जी की कवीता में कुछ झूठे-सच्चे घाव
ना तो कोई गम्भीरता इसमें, ना कोई इसमें रचाव

अगन-सी है रोयें-रोयें में, नस-नस दुख से चूर
'आली' हम पर जीवन का जो वार पड़ा भरपूर

इक गहरा सुनसान समन्दर जिसके लाख बहाव
तड़प रही है उसकी इक-इक मौज पे जीवन-नाव

क्या जाने ये चली कहाँ से और कहाँ तक जाए
कौन किनारा छोड़ आई है, कौन किनारा पाए

ना तो झूठा मेल रखे है, ना रह-रह मुस्काए
'आली' तू ही बता कोई तुझको काहे मीत बनाए

अगनी पूजें, सूरज पूजें, पूजें जल और नाग
'आली' अपनी नार को पूजें, ये 'आली' के भाग

गीत

इन्सान-दोस्त 'आली' गीत, ग़ज़ल और दोहे के शायर की हैसियत से बहुत मशहूर हैं। उन्होंने इन अस्नाफ़ (विधाओं) में जो कुछ कहा है वो कैफ़ियत के लिहाज़ (संवेदना की दृष्टि) से मुतअद्दिद (कई) बिस्यार-गो शुअरा (बहुत ज़्यादा लिखने वाले शायरों) के ज़ख़ीम दीवानों (बड़े-बड़े काव्य-संग्रहों) पर भारी है।

(मालिक राम)

'आली' के गीतों ने उर्दू-शायरी में जो क़ाबिले-क़द्र (मूल्यवान) इज़ाफ़ा किया है, उसके लिए उर्दू-शायरी हमेशा 'आली' की ममनूने-अहसान (आभारी) रहेगी। 'आली' ने गीतों को उर्दू-शायरी की सफ़ (पंक्ति) में जो अर्फ़अ मुक़ाम (महत्वपूर्ण स्थान) दिलाया, उस हक़ को हासिल करने के लिए गीत हज़ार साल से ख़्वाब देख रहे थे, 'आली' के गीत उस ख़्वाब की ताबीर (पूर्णता) हैं।

(डॉ. बेगम बिस्मिल्लाह नियाज़)

☆☆

आँखें देखती रह जाती हैं
कितने अच्छे कितने प्यारे
कैसे-कैसे दोस्त हमारे
क्या-क्या बातें कर जाते हैं
आँखें देखती रह जाती हैं
कितने गहरे ताल पुराने
जिनसे हों मन्सूब फ़साने
बस इक बूँद से भर जाते हैं
आँखें देखती रह जाती हैं
क्या-क्या बाँके मर्द जियाले
किन-किन आदर्शों के पाले
किस-किस चीज़ से डर जाते हैं
आँखें देखती रह जाती हैं
सख़्त और तेज़ कुल्हाड़ों जैसे
देखे लोग पहाड़ों जैसे
कितनी जल्दी बिखर जाते हैं
आँखें देखती रह जाती हैं
आदम से 'आली' तक आए
सब के सब इक जैसे पाये
पैदा होकर मर जाते हैं
आँखें देखती रह जाती हैं

☆☆

छन छनन छनन
छन छनन छनन
ये रात का बोझ और दिन की थकन
ये मन की प्यास आँखों की जलन
ये अपनी लगन
संगीत-सा इक बन जाती है
छन छनन छनन
ये कँवार पने की तेज़ महक
ये अनदेखे जिस्मों की लहक
ये अपनी लगन
घुँघरू बन कर लहराती है
छन छनन छनन
ये भेदों की हर आन तपिश
आकाश की और धरती की ख़लिश
ये अपनी लगन
आख़िर सरगम बन जाती है
छन छनन छनन
ये रोटी की अनथक बाज़ी
जब खत्म हुई तो लै साज़ी
ये अपनी लगन
हर बात यहीं आ जाती है
छन छनन छनन

☆☆

सैयाँ की मधुर बानी सुनकर
लहराए दुल्हन
सैयाँ की नज़र से बच-बच कर
इतराए दुल्हन

सैयाँ जो बड़े आवारा हैं
जो दफ़्तर में नाकारा हैं
जब रात गए घर आ जाएँ
और दिन भर के दुख दुहराएँ
घबराए दुल्हन
दे कोसने पहले जग भर को
फिर देख के अपने मनोहर को
मुस्काए दुल्हन

ताज़ी है कि रोटी बासी है
ये मोहने मुख की प्यासी है
लहराए दुल्हन
इतराए दुल्हन
मुस्काए दुल्हन

☆☆

फिर उससे मिले, जिसकी ख़ातिर
बदनाम हुए
थे ख़ास बहुत अब तक 'आली'
अब आम हुए
बदनाम हुए

दो लम्हे चाँदनी रातों के
दो लम्हे प्यार की बातों के
इल्ज़ाम हुए
बदनाम हुए

यूँ तो न गई वाँ कोई ख़बर
पर आहों के ख़ामोश असर
पैग़ाम हुए
बदनाम हुए

यूँ तो न दिए कुछ सुख हमको
पर उनसे जो पहुँचे दुख हमको
इन्आम हुए
बदनाम हुए

जब होने लगे ये हाल अपने
सब रौशन साफ़ ख़याल अपने
इब्हाम[1] हुए
बदनाम हुए

---

1. क्लिष्ट, निगूढ़

☆☆

जब सूरज डूब गया
जाग उठे रात के अँधेरे

और फैल गए सन्नाटों पर तारों की दमक से सजते हुए
और चन्द्र-किरन में रचते हुए
कुछ बोझ नए रखे जग पर, कुछ पहले बोझ हटाए
कोई रोए, कोई मुस्काए

हम सोते रहे
और खोते रहे
जब सूरज डूब गया

☆☆

कल हम जो रहे ख़ामोश तो वो
महजूब[1] गया
वो नाला जो उट्ठा था दिल से
क्या ख़ूब गया
दिल सौ तावीलें[2] करता है
और कहते हुए ये डरता है
महबूब गया
इक आँसू सौ तूफ़ानों का
जब बोझ पड़ा अरमानों का
ख़ुद डूब गया
कुछ कह भी कि दिल कब तक तरसे
क्यों हर कोई तेरे घर से
मातूब[3] गया
'आली' की ज़ुबाँ है अब भी वही
'आली' का बयाँ है अब भी वही
उस्लूब[4] गया

---

1. लज्जित, 2. स्पष्टीकरण, 3. कोप-भाजन, जिस पर क्रोध किया जाए, 4. शैली-शिल्प

☆☆

आग लगी है तन में मेरे
कौन समाया मन में मेरे
कौन समाया मन में

आन मिरी चट्टानों की सी
शान मिरी दीवानों की सी
रंगत वो पैमानों की सी
कैफ़ियत वो अफ़सानों की-सी
राख है एक जलन में
कौन समाया मन में

नींदें उड़ गईं रातों की
और रातें है बरसातों की
फूल खिलें हैं बन में
कौन समाया मन में

साँप-सा बनकर डस जाता है
तेरे बिना जब भी आता है
चाँद मिरे आँगन में
कौन समाया मन में

गर्मी में जो काल पड़ा है
दिल अब तक बेहाल पड़ा है
क्या होगा सावन में
कौन समाया मन में

☆☆

ख़ुद लिक्खूँ या कोई और लिखे
सब गीत मिरे
कुछ सुनते हैं, कुछ गाते हैं
संगीत मिरे
सब गीत मिरे

सायों की तरह बेनूर आँखें
बाग़ों की तरह मसरूर आँखें
कुछ मौत की छाँव में सोई हुई
कुछ शक्ती से भरपूर आँखें
सब गीत मिरे

कोई फुलवारी मुरझाती हुई
या कोंपल हो इतराती हुई
कोई टूटी नाव पुरानी हो
या मौज नई बल खाती हुई
सब गीत मिरे

महलों के क़रीने[1] है इनमें
क़ारूँ[2] के ख़ज़ीने[3] हैं इनमें
कुछ तो दुख जिनसे इश्क़ बने
कुछ दर्द कमीने हैं इनमें
सब गीत मिरे

---

1. जीवन-शैलियाँ, 2. वह व्यक्ति जो अत्यधिक धनवान होने के साथ-साथ बहुत ज़्यादा कंजूस भी हो, 3. ख़ज़ाने,

हर नर्म रसीले प्यार में हैं
हर ज़हरीले हथियार में हैं
हर हँसते हुए लब पर रक़्साँ[4]
हर आँसू की झंकार में हैं
संगीत मिरे

4. नृत्य करते हुए

☆☆

कोई आएगा, कोई आएगा

आदर्शों का ख़ूँ पीते हैं
हम इसी सहारे जीते हैं
कोई अपनी फुलवारी को भी
महकाएगा
कोई आएगा

ये क़ाफ़िले हैं इन्सानों के
या खेत हैं सूखे धानों के
कभी इन पर कोई मद-बरखा
बरसाएगा
कोई आएगा

हम धुँदले हैं बेनूर नहीं
है देर प' वो दिन दूर नहीं
जब अपने प्यार का परचम भी
लहराएगा
कोई आएगा

☆☆

'आली' अपनी ज़ात को रोयें
दोहरी जिनकी पुतरिया
भैया
दोहरी जिनकी पुतरिया

जिसके कारन आत्मा तरसे
इसी से नीची नजरिया
भैया
दोहरी जिनकी पुतरिया

मन भरपूर अगनि की भट्ठी
और आँखों में बदरिया
भैया
दोहरी जिनकी पुतरिया

ऐसे रूप के होते हुए भी
सूनी-सूनी नगरिया
भैया
दोहरी जिनकी पुतरिया

मूली गाजर छम-छम नाचें
काटे कटार कमरिया
भैया
दोहरी जिनकी पुतरिया

हाए ज़रूर मिलेगा उसको
कोई न कोई सँवरिया
भैया
दोहरी जिनकी पुतरिया

☆☆

क्यों 'आली' जी कुछ तुम भी कहो
कविराज दुखी
बलराज दुखी
महराज दुखी

क्यों 'आली' जी कुछ तुम भी कहो
क्यों सब-के-सब हैं आज दुखी
नादान दुखी
गुणवान दुखी
धनवान दुखी

क्यों 'आली' जी कुछ तुम भी कहो
क्या अब भी नहीं भगवान दुखी

पर 'आली' जी चुप-चुप से हैं
बोलें भी तो आख़िर क्या बोलें
इक पर्दे में सौ-सौ पर्दे
खोलें भी तो किस-किस को खोलें
इस चुप का मतलब ज्ञान नहीं
इस चुप में कोई ध्यान नहीं
पर्दे सौ क्या, सौ लाख भी हों
तुम एक ही पर्दा खोले जाओ
तुम जो कुछ समझो बोले जाओ
ये पर्दे ख़ुद हट जाएँगे
ये बंधन ख़ुद कट जाएँगे
पर 'आली' जी चुप-चुप से हैं
बोलें भी तो आख़िर क्या बोलें

☆☆

नाच ले, नाच ले
नाच ले
गर्मी-ए-मय[1] से लज़्ज़त हर अंदाज़ में
मस्तियाँ साज़ में
नाच ले

गिर रही है जवानी संभल जाएगी
आग जल जाएगी
नाच ले

सुस्त होकर भी कब तक अमाँ[2] पाएँगे
यूँ ही रह जाएँगे
नाच ले

ज़िन्दगी है यही ज़ेरो-बम ज़ेरो-बम[3]
तेज़तर[4] कर क़दम
नाच ले

नाच ले, नाच ले
नाच ले

---

1. मदिरा की गर्मी अर्थात् नशा, 2. जीवन-दान, 3. ऊपर-नीचे, ऊपर-नीचे, 4. अधिकाधिक तीव्र

☆☆

‘आली’ की बातें मत सुनिए
दीवाने हैं

ये गीत, ये ग़ज़लें, ये दोहे
अफ़साने हैं
दीवाने हैं

लफ़्ज़ों की ये सुन्दर अबलाएँ
ये भूखे मन की तमन्नाएँ
वीराने हैं
‘आली’ की बातें मत सुनिए
दीवाने हैं

ज़ाहिर है ये उनकी बातों से
ये अस्ल में प्यार की घातों से
बेगाने हैं
‘आली’ की बातें मत सुनिए
दीवाने हैं

ये बाज छनन छन छन छन की
बैसाख में आशा सावन की
सब गाने हैं
‘आली’ की बातें मत सुनिए
दीवाने हैं

जो इनकी बातें मानेंगे

वो इन्हें नहीं पहचानेंगे
हम जाने हैं
'आली' की बातें मत सुनिए
दीवाने हैं

□□□